Y Llewod yn Dal Ysbryd

Argraffiad cyntaf: Chwefror 1978
Ail-argraffiad diwygiedig: Tachwedd 1997
® Hawlfraint Dafydd Parri a'r Lolfa Cyf., 1997

Llun y clawr: Stephen Daniels

Rhif Llyfr Rhyngwladol: 0 86243 415 7

Cyhoeddwyd yng Nghymru
ac argraffwyd ar bapur di-asid a rhannol eilgylch
gan Y Lolfa Cyf., Talybont, Ceredigion SY24 5AP
e-bost ylolfa@ylolfa.com
y we www.ylolfa.com
ffôn (01970) 832 304
ffacs 832 782
isdn 832 813

Y Llewod
yn Dal
Ysbryd

DAFYDD PARRI

y Lolfa

Pennod 1: Pawb yn Ddiflas

"PWY SY'N ENNILL cyflog heb wneud diwrnod o waith?"

Wyn ofynnodd y cwestiwn i'r Llewod wrth iddynt gerdded adref tua wyth o'r gloch ar noson dywyll yn niwedd mis Hydref.

"Paid ti â dechra eto!" rhybuddiodd Llinos gyda her yn ei llais. "Mae dy bosau di'n ddigon i dorri calon unrhyw un."

Byddai Einion yn rhoi cynnig ar ddatrys y posau fel arfer, ond nid oedd ganddo awydd o gwbl y noson honno.

"Be am bobl sy'n ennill y Loteri? Maen nhw'n cael arian am wneud dim!" cynigiodd Orig.

"Mi wn i hynny," dadleuodd Wyn, "ond nid cyflog ydi arian felly. Sôn ydw i am weithiwr yn ennill cyflog."

"Dwi wedi anghofio'r cwestiwn," meddai Del.

"Be sy'n bod arnoch chi i gyd!" gwylltiodd Wyn. "Mae'r pedwar ohonoch chi'n hanner marw heno."

"Paid ti â chlochdar gormod," meddai Orig. "Does dim ond hanner awr er pan oeddat titha'n cwyno bod dim byd yn digwydd ym mhentre Moelfryn yn ystod y gaeaf."

"Fel yna mae Wyn bob amser," meddai Llinos. "Yn union fel ceiliog y gwynt ar ben twr eglwys. Does dim dal be sy'n mynd drwy ei feddwl o nesa."

Gwelodd Einion fod y Llewod yn dechrau llithro ar eu pennau i helynt ofnadwy. Pan oedd Wyn a Llinos yn dechrau cweryla o ddifri, roedd hi'n siŵr o fynd yn dân gwyllt yn fuan iawn.

"Y cwestiwn, Wyn? Mae'n deg i ni gael clywed y cwestiwn unwaith eto."

"Pwy sy'n ennill cyflog heb wneud diwrnod o waith?"

"Does dim gwahaniaeth gen i!" gwaeddodd Llinos.

Meddyliodd y tri arall yn galed.

"Dim syniad o gwbl!" anobeithiodd Orig.

"Mae dy bosau di'n mynd yn galetach bob tro," cyfaddefodd Einion ar ôl methu'n lân â chynnig ateb.

"Nid yn galetach, ond yn dwpach o hyd!" meddai Llinos gan fwynhau ei hun drwy ddal ati i boeni a herian ei brawd.

"Gwyliwr nos!" meddai Wyn fel pencampwr wedi ennill buddugoliaeth.

"Pam?" gofynnodd Del.

"Wel, mae gwyliwr nos mewn ffatri yn cerdded drwy'r lle am oriau bob nos, yn cadw llygad ar bob dim, ac yn gofalu bod lladron ddim yn torri i mewn. Dydi o ddim yn gwneud diwrnod o waith am ei fod yn gweithio yn y nos!"

"Da iawn, Wyn," canmolodd Einion gan guro'i gefn.

"Dyna glyfar dros ben!" meddai Llinos gan ymuno yn yr hwyl a rhoi hwb dda iddo nes ei fod yn baglu ar draws ei draed ei hun.

Roedd y pedwar yn tynnu ei goes ac yn cael hwyl wrth ei weld yn colli ei dymer fwyfwy bob eiliad.

"Hei, mae 'na leidr yn sied Llety'r Wennol!" llefodd Wyn yn hwyliog gan droi eu diddordeb i gyfeiriad arall. "Lladron yn dwyn tatws gwerthfawr Guto Hopcyn! Dyma antur a dirgelwch newydd i'r Llewod ei ddatrys!"

"Does dim gobaith am antur ym mis Tachwedd," cwynodd Orig. "Hwn ydi'r mis mwyaf diflas yn y flwyddyn. Dim ond nos a niwl a glaw, athrawon ysgol yn fwy pigog, Cochyn yn fwy cas nag arfer, a Mam yn ddiamynedd."

"Be am fynd i gael sgwrs efo'r hen ŵr cyn troi adre," cynigiodd Einion.

Cytunodd Del fod hynny'n syniad da. "Dydi Guto Hopcyn erioed wedi'n gwneud ni'n drist ac yn annifyr, ond mae wedi gwneud i ni deimlo mewn hwyliau da droeon."

Nid oedd eisiau dweud rhagor. Aeth y pump ar draws yr ardd at y sied gan gerdded ar flaenau eu traed rhag iddo eu clywed yn dod.

Eisteddai'r hen ŵr ar gadair o flaen y bwrdd gyda thomen o hoelion a sgriwiau o'i flaen, ac yntau'n eu chwalu ac yn pigo rhai allan o'r pentwr gyda'i fys a'i fawd a'u rhoi mewn rhes o botiau jam.

"Wn i ddim sut mae o'n gallu gweld yn y golau gwan 'na," meddai Llinos.

"Mae o wedi hen arfer gweithio yng ngolau cannwyll," atebodd Wyn. "Doedd dim byd arall i'w gael erstalwm!"

Pan glywodd sŵn lleisiau y tu allan i'r drws, cododd Guto Hopcyn ei ben a gwelodd res o wynebau'n edrych dros ysgwyddau'r naill a'r llall yn y ffenest.

"Dewch i mewn!" galwodd. "Mae'r drws ar agor!"

Safodd y pump i'w wylio'n gorffen casglu'r sgriwiau duon gyda phennau crynion allan o'r pentwr, a'u rhoi i gyd mewn hen bot jam er mwyn eu cadw gyda'i gilydd yn hwylus.

"Mi fyddai gwaith fel hyn yn fy lladd i heno," meddai Llinos.

"Pam?" gofynnodd heb godi ei ben, gan ddal ati i chwilio a chwalu er mwyn dod o hyd i ragor o sgriwiau.

"Teimlo'n ddi-hwyl a diflas ydan ni i gyd."

"Pam ydach chi'n teimlo felly?"

"Tywydd. . .Athrawon. . .Cochyn. . .Mam. . .Mae pawb yn gwneud inni deimlo'n annifyr y dyddiau yma!"

"Ho! Ho! Ho!" chwarddodd Guto Hopcyn gan wthio'i gadair yn ôl oddi wrth y bwrdd er mwyn edrych arnynt. "Fydda i byth yn teimlo fel 'na. Mi fydda i'n teimlo'n unig weithia wrth gwrs. Ro'n i'n unig heno yn y tŷ ar fy mhen fy hun, ac mi gofiais 'mod i isio dosbarthu'r hoelion a'r sgriwiau 'ma. Dyna pam y dois i yma. A nos fory mi ga i noson hwyliog iawn yn y Wenallt."

Edrychodd y pump yn syn arno.

"Wyddech chi ddim fod yna noson lawen yng nghegin fawr y fferm? Tanllwyth o dân a digon o fwyd blasus a hwyl ar y canu a'r dawnsio."

"Pwy sy'n cael mynd?" gofynnodd Del.

"Pawb sy'n hapus! Does 'na ddim lle i bobl ddiflas mewn noson lawen!"

"Fydd 'na rywun yn adrodd storïau?" holodd Del.

"Ar Nos Galan Gaeaf, storïau ysbryd fydd yn mynd

â hi. Roedd yr hen Gymry'n credu erstalwm bod ysbrydion yn cerdded y ddaear ar noson gynta'r gaeaf."

"Oes 'na ysbryd yn y pentre yma, Guto Hopcyn?" gofynnodd Llinos.

"Llond trol ohonyn nhw, yn enwedig ym Mhlas Madyn. Mae ysbryd yr hen blas yn enwog drwy Gymru gyfan."

"Mae Mam a Dad yn deud mai lol botes maip ydi sôn am ysbrydion," meddai Orig. "Ydach chi wedi gweld ysbryd Plas Madyn, Guto Hopcyn?"

"Wel. . .Wn i ddim yn union sut i ateb cwestiwn fel yna. . .Dwi wedi siarad efo hanner dwsin o bobl yr ardal yma sydd wedi clywed, gweld a theimlo petha rhyfedd iawn wrth gerdded ar hyd y ffordd gul 'na sy'n rhedeg efo wal uchel y plas. Dyna beth od nad ydi'r Llewod erioed wedi bod yno!"

"Rydan ni wedi bod heibio'r plas yn y dydd," meddai Llinos, "ac roedd hynny'n hen ddigon i mi. Mae'r holl goed 'na'n gwneud i'r lle edrych mor dywyll, hyd yn oed ar ganol dydd yn yr haf. Ac wedyn mae 'na nant wyllt yn llifo dros y graig cyn diflannu dan y ffordd i erddi'r plas. Roedd hi'n cadw sŵn ofnadwy."

"Roedd un o'r drysau yn y wal yn agored," cofiodd Einion, "ond aethon ni ddim i mewn i weld y lle gan fod yna rywun yn byw yno'r adeg hynny."

"Does 'na neb wedi aros yn hir ym Mhlas Madyn ar hyd yr hanner can mlynedd diwetha 'ma," meddai Guto Hopcyn. "Dim un teulu o Gymry beth bynnag. Mae'r Saeson yn ddewr o'u corun i'w sawdl pan fyddan nhw'n cyrraedd, ac yn deud mai coel gwrach ydi'r straeon ysbryd i gyd. Ond cyn pen tri mis, mynd i ffwrdd yn reit ddi-ffrwt mae pob un ohonyn nhw hefyd, fel cŵn bach â'u cynffonnau rhwng eu coesau."

"Be am adrodd un stori cyn i ni fynd adre, Guto Hopcyn?" gofynnodd Wyn gyda gwên ddireidus yn ei lygaid.

"Chysgwch chi ddim heno, blantos!"

"Dim gwahaniaeth!. . .Dwi wrth fy modd yn cael fy nychryn. . .ias oer yn rhedeg i lawr fy nghefn a gwallt fy mhen yn codi!"

Roedd y Llewod i gyd yn sychedu am stori. Cododd yr hen ŵr o'i gadair a symudodd y bwrdd i ganol llawr y sied. Eisteddodd y pump yn un rhes er mwyn gallu gweld wyneb Guto Hopcyn.

"Pawb yn barod?" gofynnodd.

Trodd y Llewod i edrych ar y gannwyll. Roedd sŵn poeri yn dod o dan y fflam, dechreuodd y golau winco, ac yna aeth yn wannach ac yn wannach. Prin allen nhw weld wynebau'r naill a'r llall ar ôl munud neu ddwy. Closiodd Del at Llinos ac edrychodd yn ofnus ar ei chwaer fawr. Daeth awel fain o rywle a dechreuodd fflam y gannwyll chwifio'n wyllt fel pe bai ar fin diffodd.

Dychmygwyd pob math o bethau. Tybed oedd yna rywun arall yn y sied ar wahân iddyn nhw? Beth oedd wedi cynhyrfu fflam y gannwyll wedi iddynt ddechrau trin a thrafod ysbrydion, a thybed oedd yna rywun tu allan yn eu gwylio drwy'r ffenest?

Dechreuodd yr hen ŵr grafu tipyn o'r gwêr poeth oedd wedi casglu'n llyn o gwmpas godre fflam felen y gannwyll. Yna, ar ôl poeri ychydig bach yn rhagor fe dyfodd y fflam yn dal ac yn fain, ac roedd pob un o'r Llewod yn gallu anadlu'n rhwyddach wedyn.

"Dwi'n meddwl ei bod hi'n ddiogel i mi ddechra adrodd y stori ryfeddaf glywais i erioed am ysbryd Plas Madyn," meddai'r hen ŵr gan glymu bysedd ei ddwy law yn ei gilydd a'u gosod ar ganol y bwrdd.

Pennod 2: Ysbryd y Llestri Aur

"HANNER CAN MLYNEDD union i nos fory ro'n i'n dathlu Calan Gaeaf am y tro cynta erioed yn y Wenallt," dechreuodd Guto Hopcyn.

"Fyddwch chi'n mynd yno bob blwyddyn?" gofynnodd Orig.

"Mi gollais i ambell un drwy salwch a hyn a'r llall. Ond mi rydw i wedi bod yno ddwsinau o weithiau. Hanner can mlynedd yn ôl dwi'n cofio Ben Puw, hen ŵr y Wenallt bryd hynny, yn codi ar ei draed a deud ei fod o am adrodd stori ysbryd y llestri aur. Hwnnw oedd y tro cynta i mi ei chlywed, a fydda i byth yn blino gwrando arni. Wna i ddim adrodd stori Ben wrthoch chi rŵan; mi gewch chi gyfle i glywed honno eto cyn bo hir iawn. Ond rhaid i mi ddeud cymaint â hyn wrthoch chi. Mae 'na ysbryd merch ifanc yn crwydro o gwmpas Plas Madyn, a chyn iddi farw roedd hi wedi cuddio set o lestri aur gwerthfawr iawn yn yr hen dŷ. Ddywedodd hi ddim gair wrth neb ble'r oeddan nhw, ond yn ôl Ben mae fel petai hi'n cerdded trwy stafelloedd y plas yn chwilio am ryw ddyn ifanc glân, gonest er mwyn dangos iddo fo ble mae'r llestri aur."

"Oes 'na rywun wedi llwyddo i ddod o hyd i'r trysor?" gofynnodd Wyn.

"Neb, fachgen! Dal i chwilio mae ysbryd Lowri

Cadwaladr o hyd; dyna pam mae hi'n aflonyddu ar bawb sy'n mynd i fyw ym Mhlas Madyn. Ond cyn i Ben Puw eistedd i lawr ar ôl gorffen ei stori y tro cynta hwnnw, dyma Hefin Gors Goch, llanc ugain oed, yn gweiddi, 'Lol i gyd!' Ac roedd llanc arall tua'r un oed, Guto'r Hendre, yn cytuno efo fo. Wedyn dyma rai o'r cwmni oedd yn eistedd o gwmpas y tân yn trio perswadio'r llanciau bod rhyw gymaint o wir yn y stori. Ond chwerthin am eu pennau i gyd wnaeth Hefin a Guto.

"Roedd Ben Puw yn teimlo'n ddig iawn tuag atyn nhw, a dyma fo'n troi at y silff ben tân uchel ac yn crafangu efo'i fysedd ymysg y canwyllbrennau pres nes y daeth o hyd i allwedd fawr. A'r peth nesa wnaeth Ben oedd gosod yr allwedd ar ganol y bwrdd crwn. Roedd pawb yn y stafell yn dawel fel y bedd.

"Yna, dyma Ben yn troi at y ddau lanc: 'Rydw i'n eich herio chi'ch dau i fynd i Blas Madyn heno a chysgu yno drwy'r nos, a phan ddowch chi â'r allwedd yma'n ôl i mi erbyn wyth o'r gloch bore fory, mi ro i ganpunt bob un i chi.'

"A dyma'r cloc mawr oedd yn sefyll a'i gefn at y wal wrth y ffenest yn dechra taro hanner nos, ac roedd golwg reit bryderus yn llygaid pawb.

"Cododd Hefin a Guto ar eu traed a derbyn yr her yng ngŵydd pawb. Fe ddyliwn i fod wedi deud nad oedd yna neb yn byw ym Mhlas Madyn yr amser hynny; roedd y lle'n wag ers dau fis ac roedd allwedd y drws ffrynt wedi'i adael yng ngofal Ben Puw rhag ofn i rywun ddod heibio ac isio cael golwg ar y tŷ efo'r bwriad o'i brynu...

"Cerddodd Hefin a Guto i'r nos a phawb yn y gegin

fawr wedi rhyfeddu gormod i ddeud gair o'i ben. Caeodd y drws ar eu holau yn glep a chlywsom sŵn traed yn pellhau ar y buarth.

"Roedd y llanciau wedi cael digonedd o fwyd a diod yn y Wenallt a cherddodd y ddau mor hapus a'r gog ar draws y caeau. Dyna lle'r oedden nhw'n chwerthin yn uchel, bob yn ail â chanmol ei gilydd am ennill dau gan punt mor rhwydd.

"Hen lôn dywyll sy'n arwain at Blas Madyn, a'r noson honno roedd y pinwydd duon yn chwifio'u pennau yn y gwynt. Roedd hi fel y fagddu, heb lygedyn o olau i'w weld yn nunlle. Ond llwyddodd Hefin a Guto i ddod o hyd i'r drws ffrynt, ac ar ôl tipyn bach o drafferth trodd yr allwedd yn y clo.

"Safodd Hefin yn chwareus ar y naill ochr er mwyn i'w gyfaill fynd i mewn gynta. Doedd Guto'n malio dim. Cydiodd yn y fflachlamp oedd yn llaw ei gyfaill ac aeth i mewn i ganol y stafell fawr. Safodd y ddau i edrych o'u cwmpas a Guto'n dal y fflachlamp yn uchel er mwyn ceisio gweld yn well yn y golau llwyd.

" 'Ty'd, mi awn ni i weld y stafelloedd eraill,' meddai Hefin gan agor drws a dangos i'w ffrind nad oedd ganddo ynta chwaith ddim blewyn o ofn ar ôl cyrraedd yr hen blasty.

"Roedd y dodrefn yn dal i fod yno ar ôl i'r teulu diwetha adael ar frys. Ond doedd dim siw na miw i'w glywed yn nunlle ar wahân i eco gwag sŵn traed a lleisiau'r ddau lanc.

" 'Ty'd i chwilio am wely,' meddai Guto wedi iddyn nhw gyrraedd gwaelod y grisiau.

"Hefin arweiniodd y ffordd, ac aeth y ddau i mewn trwy'r drws cynta ar ôl cyrraedd yr ail lawr. Safai gwely mawr, haearn yng nghanol y stafell, a phenderfynwyd y byddai hwnnw'n gwneud y tro iddynt i'r dim. Roedd y ddau yn sicr y bydden nhw'n cysgu fel tyrchod ar unwaith gan eu bod yn teimlo'n reit flinedig erbyn hynny.

" 'Dyna braf,' meddai Guto ar ôl gorwedd yn ei ddillad ar y gwely mawr. 'Swper blasus yn y Wenallt, ac addewid am ganpunt bob un am wyth o'r gloch bore fory!'

" 'A stori ysbryd i blant bach dwyflwydd oed!' meddai Hefin gan siglo chwerthin nes bod sbring-iau'r gwely yn gwichian oddi tano.

"Fuon nhw ddim yn sgwrsio'n hir gan ei bod yn tynnu am un o'r gloch y bore a'r ddau wedi blino'n lân. Gorweddodd y ddau ar wastad eu cefnau yn gwrando ar y gwynt yn udo yn y coed tu allan i'r ffenest, ac yn chwyrnu yn y simdde.

"Trodd Guto yn sydyn at ei gyfaill. 'Wyt ti'n siŵr dy fod ti wedi cau'r drws ffrynt ar dy ôl?'

" 'Do, debyg iawn! Dos i gysgu wir. Ac os nad wyt ti'n fy nghoelio i dos i lawr i weld drosot ti dy hun!'

"Teimlai Guto yn oer drosto a doedd ganddo ddim mymryn o awydd symud o'r fan. Hefin oedd y nesa i aflonyddu. Ond doedd o ddim am ddeud gair o'i ben, er bod ei galon yn curo gryn dipyn yn gyflymach nag arfer.

"Cyn pen pum munud gwyddai'r ddau fod rhywun neu rhywbeth yn prowla o gwmpas yn y stafelloedd oddi tanynt. Doedd y naill na'r llall am gyfaddef ei fod yn anesmwyth, ond roedden nhw'n sicr erbyn hynny na fedrent gysgu winc ym Mhlas Madyn y noson honno.

"Yna, dechreuodd petha ddigwydd yn gyflym. Cydiodd Guto ym mraich Hefin pan glywodd breniau'r grisiau'n gwichian. Roedd yna rywun yn dod i fyny yn ara' bach, a'r sŵn yn dod yn nes ac yn nes bob eiliad. Erbyn hyn roedd gan y ddau ormod o ofn i yngan gair, a'u gyddfau'n sych fel corcyn.

"Daliai'r gwynt i gwyno dan y bondo, ac erbyn hyn roedd yn sgrechian ym mrigau'r coed. Ond yng nghanol sŵn y storm o'r tu allan, dyma'r ddau lanc yn clywed tincial ysgafn yn dod o gyfeiriad pen y grisiau.

"Gwasgodd Hefin gledrau ei ddwylo yn erbyn ei glustiau, rhag gorfod gwrando ar sŵn y llestri aur yn taro'n erbyn ei gilydd. Dechreuodd Guto grynu fel deilen ac roedd chwys oer yn gorchuddio'i dalcen.

"Agorodd drws y stafell wely yn araf, a thawelodd y gwynt tu allan i'r ffenest am ennyd. Doedd dim o'i sŵn yn y brigau chwaith, na than y bondo, na dim rhuo i'w glywed yn y simdde. Roedd y tawelwch yn pwyso cymaint ar y ddau nes bod chwys yn rhedeg i lawr eu hwynebau.

"Ond ymhen ychydig eiliadau, dyma'r dillad oedd drostynt yn cael eu chwipio i ffwrdd oddi ar y gwely. Pawb drosto'i hun oedd hi o'r eiliad honno ymlaen. Rhuthrodd y ddau am y drws agored a thaflu eu hunain yn bendramwnwgl i lawr y grisiau, ac wedyn baglu eu ffordd drwy'r tywyllwch am y drws ffrynt. Roedden nhw'n mynd ar eu pennau yn erbyn wal un funud, a'r funud nesa roedden nhw'n dechra dyrnu ei gilydd am fod y naill ar ffordd y llall.

"Hefin lwyddodd i gyrraedd y drws gynta, a phan glywodd Guto ei sŵn yn clepian, roedd ynta'n gwybod ble i anelu wedyn. Ond rywsut, doeddan nhw ddim yn teimlo fymryn mwy diogel ar ôl mynd allan i'r nos. Rhedodd y ddau i lawr y lôn fel dynion lloerig. Roedden nhw'n barod i wneud unrhyw beth er mwyn mynd mor bell o Blas Madyn ag y gallent. Bu'r ddau yn gwthio drwy'r perthi gan rwygo'u dillad, a stompio cerdded drwy gors a Guto yn colli un o'i sgidiau mewn pwll soeglyd. Ond dal i fynd wnaethon nhw heb falio 'run botwm corn be fyddai'n digwydd.

"Wrth gwrs, aeth 'run o'r llanciau yn ôl i'r Wenallt rhag ofn i bawb chwerthin am eu pennau, ac roedd arnyn nhw ormod o gywilydd i wynebu Ben Puw. Bu raid i'r hen ffarmwr fynd draw i'r plas yn y bore i chwilio am yr allwedd a chloi'r drws.

"Cyn pen pythefnos roedd Hefin a Guto wedi gadael yr ardal am byth, ac mi rydw i'n cofio gweld y ddau ychydig ddyddiau cyn iddyn nhw gychwyn. Roedd edrychiad pell ofnadwy yn llygaid Hefin, a doedd ganddo fo ddim byd i'w ddeud wrth neb. Gwallt du fel y frân oedd gan Guto cyn y Nos Galan Gaeaf honno, ond mi roedd o wedi dechrau britho pan welais i o ychydig ddyddiau wedyn."

"Ddaethon nhw'n ôl i'r ardal yma ar ôl anghofio?" gofynnodd Einion.

"Fedrodd 'run ohonyn nhw fyth anghofio'r noson honno! Welodd neb 'run o'r ddau wedyn. Mi faswn i'n licio gwybod be ddigwyddodd iddyn nhw. Ond mi wn i un peth – wna inna fyth anghofio'r Calan Gaeaf hwnnw tra bydda i byw!"

Clywodd y Llewod sŵn curo ysgafn ar ffenest y sied. Trodd y pump i edrych ac roedd braw yn eu llygaid.

"Pwy sy' 'na?" holodd Del yn llawn cyffro gan gladdu ei phen yng nghôl Llinos.

Roedd croen wynebau'r pump yn dynn wrth ddisgwyl i Guto Hopcyn ddweud rhywbeth wrthynt.

"Dim ond aderyn bach sydd wedi gweld y golau. Mi fydda i'n eu clywed nhw'n curo efo'u piga ar ffenest fy stafell wely yn y nos yn reit aml!…Wel wir blantos, mae'n rhaid i ni gychwyn neu mi fydd y gannwyll wedi llosgi i lawr i'w bôn!"

Ffarweliodd y Llewod â'r hen ŵr wrth giât yr ardd a cherddodd y pump mor gyflym ag y gallent am eu cartrefi. Doedd yr un ohonynt yn cwyno ei bod yn noson ddiflas bellach. Sylwodd y ddwy fam, Bethan Prys ym Medw Gleision a Mari Llwyd ym Mhengwern, fod eu plant yn hynod o dawel wrth y bwrdd swper y noson honno, ac nid oedd gwaith eu gyrru i'w gwlâu chwaith.

Gorweddai'r pump yn dawel a syn wrth feddwl am stori ysbryd y llestri aur. Tybed a oedd Guto Hopcyn wedi bod yn tynnu coes eto? Nid oedd 'run ohonynt yn siŵr iawn, ac roedd dau o'r bechgyn yn gwybod y buasent yn mynd i Blas Madyn pe baent yn cael hanner cyfle.

Pennod 3: Lladron

CLYWSANT LAIS DEL yn galw ar Fflwffen tu allan i'r drws cefn.

"Fflwffen! Fflwff! Fflwff! Ty'd yma, Fflwffen!"

Agorodd y drws a rhedodd Del i mewn i'r stafell fel corwynt. Roedd Llinos a Wyn wedi cael llonydd i fwyta'u brecwast yn dawel, ond roedd Del wedi cael ei hanfon i'r siop ar neges cyn profi'r uwd. Trodd eu mam oddi wrth y blodau roedd hi'n eu trefnu yn y llestr ar ben y cwpwrdd llestri.

"Ble mae Fflwffen wedi mynd?" gofynnodd Del yn wyllt. "Oes 'na rywun wedi'i gweld hi o gwbl? Peidiwch ag eistedd yn fan 'na fel petai dim byd wedi digwydd!"

Dechreuodd ochneidio a gwasgu ei gwefusau i'w gilydd yn dynn bob yn ail.

"Be sy wedi digwydd?" gofynnodd Wyn mewn llais diniwed.

"Paid â bod yn dwp rŵan!" atebodd. "Mae'n bwysig ofnadwy i mi. Dwi'n meddwl y byd o Fflwffen, a tasa rhywbeth yn digwydd iddi hi, mi faswn inna isio marw hefyd!"

Torrodd allan i wylo'n hidl ac aeth Llinos a'i mam ati i'w chysuro.

"Eistedd i lawr a deud yr hanes i gyd. Mae Ffwffen

wedi bwyta'i brecwast ac wedi yfed ei llaeth i gyd. Felly paid ti â phoeni dim byd amdani."

Sychodd Del ei dagrau. "Ond welsoch chi Fflwffen, Mam?"

"Hwyrach 'mod i, hwyrach 'mod i ddim. Dydw i ddim yn cofio'n iawn. Mae'r gath i mewn ac allan drwy'r dydd. Ond mi rydw i'n cofio ei bod hi wedi mynd allan ar ôl cael ei thrydydd swper tua un ar ddeg neithiwr. Ac ac ôl codi bore yma mi rois i damaid iddi hi a Smwt, ac mi sylwais i mewn rhyw hanner awr fod y cwbl wedi'i fwyta."

Daliai llygaid Del i fflachio. "Ond mae Smwt yn bwyta brecwast Fflwffen yn reit aml!"

"A Fflwffen yn dwyn bwyd Smwt yn amlach o lawer!" protestiodd Llinos.

Ceisiodd Bethan Prys droi'r stori er mwyn cael tipyn o drefn ar y merched.

"Ble wyt ti wedi gadael y cig moch a'r blawd?"

Edrychodd Del yn hurt arni. "Pa gig moch?"

"Clyw di, Delyth, mi fydda i'n dy ysgwyd di'n reit dda mewn munud os nad wyt ti'n gwneud be dwi'n ofyn i ti! Mi rois i bapur pumpunt yn dy bwrs di chwarter awr yn ôl i fynd i lawr i'r siop i brynu dau beth i mi. Lle mae'r blawd a'r cig moch, a lle mae'r newid hefyd?"

Llwyddodd i sobri tipyn ar ei merch. Roedd yn amlwg oddi wrth ei hwyneb ei bod yn ceisio cofio beth oedd wedi digwydd. Cododd o'i chadair ar frys a rhuthrodd am y drws. Ond cyn gadael y stafell safodd i egluro.

"Mi anghofiais i! Ac mae'r pwrs ar gownter y siop. Pan glywais i'r merched o stad Dolmeillion yn siarad ac yn deud bod 'na ladron cathod yn y pentre roedd gen i ofn...Fydda i ddim yn hir, Mam!"

Diflannodd fel y gwynt unwaith eto a chlywsant sŵn ei thraed yn rhedeg i lawr y lôn.

"Mae'n well i ni ddod o hyd i'r gath yma cyn iddi ddod yn ôl," meddai Bethan Prys, "neu chawn ni ddim llonydd i wneud dim byd trwy'r bore."

Aeth y ddwy allan i alw ac i chwilio am Fflwffen ond arhosodd Wyn i orffen ei frecwast yn hamddenol a chnoi ei gil ar bopeth oedd newydd ddigwydd.

Nid oedd erioed wedi clywed am leidr cathod o'r blaen. Pam fyddai rhywun eisiau dwyn cathod, tybed? Gallai ddeall lleidr yn dwyn cŵn o bedigri da er mwyn eu gwerthu a chael pris mawr amdanynt. Ond doedd neb yn ardal Moelfryn byth yn prynu cath. Roedd ei fam bob amser yn dweud y byddai hynny'n anlwcus iawn. Rhoi cath yn anrheg i ffrindiau a wnai pawb pan fyddai yna deulu newydd o gathod bach.

Daeth Llinos yn ôl i'r stafell gan gario Fflwffen yn ei chôl. Tynnodd Wyn wyneb hir fel ffidil, a gwnaeth lygaid mawr ar ei chwaer.

"Mae'n hawdd iawn i ti wneud hwyl am ein pennau ni," meddai Llinos. "Does gen ti ddim anifail anwes i'w ofalu amdano 'run fath â Del a fi. Ac mae Smwt a Fflwffen yn bwysig i'r Llewod. Oni bai am y ddau yma fasen ni byth wedi datrys ambell i ddirgelwch!"

Daeth Del yn ôl i'r tŷ a gollyngodd Llinos y gath drilliw o'i dwylo. Cododd hithau ei chynffon yn uchel, ac ymlwybrodd allan drwy'r drws am y cefn. Pan welodd mai Del oedd yno aeth ati a rhwbiodd ei phen yn erbyn ei choesau. Disgleiriai llygaid Del fel dau ddiemwnt. Cydiodd amdani gan ei gwasgu'n dynn i'w mynwes a rhoi maldod iddi. Ond roedd gan Fflwffen fwy o awydd bwyd na chariad bob amser pan oedd yn y gegin gefn.

Canodd cloch y drws ffrynt ac aeth Bethan Prys i weld pwy oedd yno. Roedd Llinos a Wyn yn glustiau i gyd ar ôl iddynt adnabod y llais.

"Dewch i mewn am funud, Guto Hopcyn."

"Ar fy ffordd adre ydw i, dwi wedi bod yn siarad efo pawb welais i ar y ffordd. Mae gwragedd Moelfryn mewn ffwdan ofnadwy efo'u cathod y bore 'ma."

"Peidiwch â sôn wir! Mi gawson ninna dipyn o drafferth efo Del a Fflwffen hefyd. Wedi clywed rhyw stori yn y siop oedd hi. Gwneud môr a mynydd o ddim byd mae'r gwragedd 'na mae'n siŵr, a Del ni yn llyncu popeth roedd hi'n ei glywed."

"Na, mae'n ddigon gwir fod rhai wedi colli eu cathod. Tair cath nobl wedi diflannu yr wythnos diwethaf, a dwy wedyn neithiwr. Mi wn i fod cathod yn bwrw noson neu ddwy oddi cartre weithia, ac ambell i gwrcath yn mynd am wythnos, ond mae hyn yn wahanol…Dod yma i ofyn gaiff y plantos ddod i'r noson lawen ar aelwyd y Wenallt heno wnes i. Mae 'na wahoddiad i'r Llewod i gyd gan ei bod hi'n Noson Galan Gaeaf, ac mae Mari Llwyd, Pengwern yn falch fod Einion ac Orig wedi cael gwahoddiad."

"Ydach chi'n siŵr na fyddan nhw ddim yn drafferth i chi Guto Hopcyn? Mae'n gyfle gwych i'r pump gael gweld rhywbeth newydd. Dwi wedi clywed sawl un yn sôn am nosweithiau Calan Gaeaf y Wenallt."

Nid oedd Llinos a Wyn eisiau gwybod rhagor a dechreuodd y ddau neidio a dawnsio o gwmpas y bwrdd.

"Dyna lwc i ni alw yn y sied neithiwr," meddai Llinos. "Er 'mod i wedi methu cysgu am oriau ar ôl clywed y stori ysbryd 'na."

"Ond y lwc gynta oedd fod pawb yn teimlo mor ddi-hwyl a diflas," meddyliodd Wyn yn uchel. "Fasen ni byth wedi galw yn Llety'r Wennol yr adeg yna o'r nos tasen ni'n brysur ac yn llawn hwyl. . .Ro'n i wrth fy modd yn gwrando ar hanes ysbryd y llestri aur yn mynd i fyny'r grisia yn ara' deg bach!"

"Wyt ti'n meddwl bod y stori'n wir, Wyn?"

"Mae lot ohoni'n wir gan fod 'na bobl eraill heblaw Guto Hopcyn yn y Wenallt hanner can mlynedd yn ôl, ac yn cofio be ddigwyddodd. Roedd pawb yn y pentre yn gwybod yr hanes ar ôl i Hefin a Guto fynd i ffwrdd mor sydyn."

"Ond dychmygu gweld yr ysbryd yn tynnu'r dillad oddi ar y gwely ro'n i," meddai Llinos gan obeithio nad oedd Wyn yn meddwl bod hynny erioed wedi digwydd.

"Rhaid i ni gael gwybod mwy am y manylion. A'r ffordd orau i brofi'r stori ydi i ti, Llinos, fynd i Blas Madyn a threulio noson yno fel y gwnaeth Hefin a Guto!"

Dechreuodd chwerthin yn uchel dros y stafell pan welodd wyneb Llinos.

"Mi fasa'n well gen i gael fy nhorri allan o griw y Llewod na hynny!"

"Wyddost ti be wyt ti newydd 'i ddeud!" meddai Wyn yn ddifrifol. "Mae bod yn aelod o'r Llewod yn bwysicach na dim byd arall i'r pump ohonon ni."

Gwyddai Llinos ei bod wedi dweud gormod, ac roedd yn poeni am hynny.

"Paid â deud wrth Einion ac Orig," erfyniodd yn daer.

Gwelodd Wyn ei gyfle. "Ond mae'n rhaid i ti dalu dirwy i mi am gadw'n ddistaw."

Ni wyddai Llinos beth i'w ddweud.

"Na, ddim talu arian dwi'n feddwl...Mi wn i! Rhaid i ti ddatrys pos i mi, a'r tro yma dydw i ddim am ddeud yr ateb o gwbl wrthot ti."

Gwyddai Llinos ei bod wedi ei chornelu, ond nid oedd ganddi ddewis ond cytuno efo cynnig Wyn.

"Dwi am fod yn garedig, Llinos. Rhaid i ti chwilio am ateb i bos sy'n ymwneud â bwyd yn y gegin. Gwranda'n ofalus! Be sy'n aros yn boeth am yr amser hiraf ar ôl iddo gael ei roi yn y rhewgell?"

Tybiodd Llinos ar y dechrau y byddai'n gallu ei ateb yn rhwydd, a hwyrach y byddai ei mam yn barod i'w helpu. Ond cofiodd y funud nesaf mai Wyn oedd wedi gofyn y pos, ac felly roedd yna dro slei yn y cwestiwn yn rhywle. Beth bynnag, roedd yn rhaid iddi gytuno i dalu'r ddirwy a derbyn y gosb gan Wyn, a gwneud hynny hefyd, am unwaith, heb rwgnach na chwyno o gwbl.

"Faint o amser dwi'n ei gael?"

"Tan wythnos i heddiw. Ond os byddi di wedi dod o hyd i'r ateb cyn hynny, dwi'n ddigon parod i wrando!"

Pennod 4: Lowri Cadwaladr

ROEDD MEURIG ac Enid Puw yn sefyll yn nrws ffermdy'r Wenallt pan gyrhaeddodd Guto Hopcyn a'r Llewod toc wedi wyth o'r gloch y noson honno.

"Croeso i noson lawen Calan Gaeaf!" meddai gŵr y Wenallt gan estyn help llaw i Guto Hopcyn gamu dros y rhiniog.

Yna, aeth Enid Puw â hwy at y bwrdd lle'r oedd poteli a rhes o wydrau gloyw fel crisial.

"Be sydd gen ti yn fa'ma?" holodd yr hen ŵr yn llawn hwyliau ar ôl edrych ymlaen cymaint at y noson.

"Diferyn o fedd i lonni'r galon cyn eistedd i lawr, a llymaid o win blodau ysgaw i'r Llewod hefyd."

"Bobol annwyl!" rhyfeddodd Guto Hopcyn ar ôl blasu'r medd. "Dyna'n union fel roedd hi arna i yma hanner can mlynedd yn ôl. Mi gawson ni fedd i'w yfed y noson honno hefyd gan Ben Puw, taid Meurig yma. Does dim i guro diod hen ffasiwn fel yma."

Aeth y Llewod i eistedd gyda'i gilydd o flaen y tanllwyth tân oedd yn y grât o dan y simdde fawr. Allen nhw ddim peidio â rhyfeddu wrth weld mor hen oedd y gegin. Tra'n disgwyl i'r noson lawen ddechrau cawsant hwyl wrth dynnu sylw'r naill a'r llall at y distiau duon oedd yn rhedeg ar draws y nenfwd, y llawr cerrig gleision, yr hen luniau ar y pared, y setl gefn-syth a'r dresel dderw, a myrdd o ddarnau pres oedd yn crogi o gwmpas y simdde ac ar y silffoedd. Clywodd y doctor, a eisteddai tu ôl iddynt, eu sgwrs a dywedodd ei fod yn gwybod tipyn o hanes y ffermdy.

"Mae teulu'r Puwiaid wedi byw yma ers dros ddau cant o flynyddoedd yn ddi-dor. Y plant yn dilyn y rhieni ar hyd y blynyddoedd. Ond mae'n siŵr gen i fod 'na bobl wedi byw yma, mewn tŷ hŷn na hwn ers canrifoedd cyn hynny."

"Pa mor debyg ydi'r Wenallt heddiw i'r tŷ oedd yma ddwy ganrif yn ôl?" gofynnodd Einion.

"Mae 'na lawer o fân newidiadau wedi'u gwneud, ond mae'r gegin yma'n ddigon tebyg o hyd. Ac mae hi wedi bod yn arferiad i gynnal nosweithiau llawen ar yr aelwyd ers cyn cof neb yn y pentre."

Pan aeth y delynores i eistedd ar ei stôl a thiwnio'r tannau tawelodd y mân sgwrsio. Caewyd y drysau, ac ar ôl i Meurig Puw osod boncyff mawr ar y tân dechreuwyd canu alawon gwerin. Ac roedd y Llewod yn gwybod geiriau Titrwm Tatrwm, Pant Corlan yr Ŵyn, a Llwyn Onn cystal â phawb oedd yno. Yna, aeth llanc ifanc i ganol y llawr i roi perfformiad o ddawns y glocsen gyda'i ysgub a'i gannwyll, nes bod clec y gwadnau pren yn diasbedain trwy'r gegin, a phawb yn curo dwylo tua'r diwedd i rythm y ddawns. Mwynhaodd Wyn yr adroddwr digri yn fwy na neb, ac roedd y stafell yn llawn o chwerthin pan ganodd y baledwr gadwyn hir o benillion am droeon trwstan pobl yr ardal. Yna cafwyd egwyl, a gadawodd pawb ei gadair er mwyn dewis o'r bwydydd blasus oedd ar y byrddau tu cefn iddynt.

"Chwe math o gig!" meddai Del gan sugno'i gwefusau.

"A chawsiau, a digon o dameidiau bach diddorol eraill," meddai Llinos.

"Be ydi'r medd 'na roedd Guto Hopcyn yn ei yfed ar ôl i ni gyrraedd yma?" gofynnodd Orig i Einion.

"Mae'n ddiod hen iawn. Dyna oedd diod yr hen Gymry, y Brythoniaid, cyn i'r Rhufeiniaid ddod yma hyd yn oed."

"A chyn i'r Saeson gyrraedd hefyd?" gofynnodd Del.

"Ymhell cyn hynny. Mae'n agos i ddwy fil o flynyddoedd er pan ddaeth y Rhufeiniaid i Ynysoedd Prydain. Doedd Lloegr ddim yn bod pryd hynny, a doedd y Saeson ddim wedi croesi Môr Tawch. Ymhen canrifoedd wedyn y daeth y Sacsoniaid, a dyna pryd yr aethon ni'r Cymry tua'r gorllewin i fyw."

Roedd Llinos hefyd yn gwybod ychydig am y medd.

"Mae o'n cael ei wneud o fêl ac mae o'n gryf iawn. Dyna pam roedd Mrs Puw yn rhoi gwin blodau'r ysgaw i ni. Rhag ofn i ni sefyll ar ben y cadeiriau a dechra canu dros y lle!"

Tiwniwyd y delyn unwaith eto. Taflwyd rhagor o goed ar y tân nes bod cawod o wreichion yn diflannu i fyny'r simdde. Yna, safodd Meurig Puw, gŵr y Wenallt, â'i gefn at y tân a dywedodd beth oedd yr eitem nesaf ar y rhaglen.

"Guto Hopcyn, Llety'r Wennol, ydi'r hynaf sydd yma heno. Ac mae o'n gwybod dwsinau o storïau diddorol am ardal Moelfryn. Heno ydi noson arbennig yr ysbrydion, ac mae o am adrodd hanes ysbryd Plas Madyn i'n cynhyrfu ac i'n dychryn ni i gyd!"

Roedd yn amlwg fod pawb wrth eu bodd gan eu bod yn curo dwylo'n wresog, a'r Llewod yn edrych ymlaen yn fwy na neb arall.

"Dwi am adrodd hanes ysbryd y llestri aur wrthoch chi heno. Nid sôn am yr ysbryd sydd wedi dychryn cymaint ar bobl yr ardal yma ar hyd y blynyddoedd, ond cefndir yr hanes – hanes Lowri Cadwaladr oedd yn byw gyda'i thad a'i mam a'i brawd ym Mhlas Madyn ddau can mlynedd yn ôl.

"Roedd y teulu Cadwaladr yn gyfoethog iawn, a nhw oedd piau ffermydd yr ardal yma i gyd. Nhw yn ôl pob tebyg, oedd piau'r Wenallt yma hefyd yr amser hynny. Ond pan oedd Lowri Cadwaladr yn un ar hugain oed, mi ddaeth 'na ffliw ofnadwy i'r rhan yma o Gymru, ac roedd teuluoedd y plastai yn marw o'r afiechyd yn union yr un fath â gwerin dlawd y tyddynnod. Bu mam a thad Lowri Cadwaladr farw o fewn wythnos i'w gilydd, a chyn pen pythefnos arall roedd ei brawd wedi marw hefyd. Felly gadawyd merch ifanc, landeg ar ei phen ei hun gyda'r gweision a'r morynion ym Mhlas Madyn. Yn ôl yr hanes roedd yna dristwch ofnadwy a galar yn yr holl ardal y flwyddyn honno.

"Un noson, pan oedd pawb yn eu gwlâu, clywodd Lowri sŵn carnau ceffyl yn carlamu ar hyd y lôn sy'n rhedeg o'r ffordd fawr at y plas. A'r funud nesa daeth curo taer ar y drws ffrynt. Dyn dieithr oedd yno yn gwisgo mantell ddu a chwcwll dros ei ben fel mynach, a mwgwd dros ei lygaid hefyd. Ac roedd ei geffyl yn sefyll yn ymyl a'r chwys yn llifo ar hyd ei gefn. Tynnodd y mwgwd i ffwrdd, a phan welodd Lowri Cadwaladr ei lygaid yn disgleirio gwyddai fod yn rhaid iddi ei helpu. Dywedodd y marchog fod gelynion ar ei ôl, a'i fod isio lle diogel i ymguddio.

"Aed â Gwyll, y ceffyl du gyda'r seren wen ar ei dalcen, i'r stablau a thaenwyd sachau ar ei gefn gan ei fod wedi chwysu cymaint; yna aeth y ddau i stafell Lowri. Doedd gan y ferch ddim syniad pwy oedd y llanc ifanc, golygus, ond roedd hi wedi syrthio dros ei phen a'i chlustiau mewn cariad gydag o, ac roedd hi'n barod i wneud popeth i achub ei fywyd. Aeth y ddau ati i fwyta swper yng nghwmni ei gilydd, ac mi ddywedodd y morynion wedyn eu bod wedi clywed chwerthin hapus ym Mhlas Madyn am y tro cynta ers wythnosau.

"Yna, clywodd y ddau sŵn carnau ceffylau yn carlamu i gyfeiriad y plas am yr ail waith y noson honno. Nid un ceffyl y tro yma, ond deg neu ddwsin. Wedyn, daeth curo gwyllt ar y drws unwaith eto. Roedd twr o filwyr yno, a'r swyddog oedd yn gofalu amdanynt a siaradodd efo Lowri Cadwaladr. Dywedodd ei fod o a'i ddynion ar drywydd Bleddyn Ffowc, y lleidr pen ffordd peryglus. Bu bron iddynt ei ddal, meddai, ar ôl gosod trap i'w dwyllo ddeng milltir i ffwrdd, ond mi lithrodd o'u dwylo fel llysywen, a gobaith gwan iawn oedd ganddynt i'w ddal gan ei fod yn marchogaeth Gwyll, y ceffyl cyflymaf yn y wlad.

"Dywedodd y swyddog ei fod yn poeni amdanynt yn y plas a'i fod wedi galw yno i'w rhybuddio i gloi pob drws a ffenest rhag ofn i'r dihiryn ddod heibio'r ffordd honno. Wedi iddo ddeud ei neges wrth Lowri neidiodd pob milwr i'r cyfrwy, ac i ffwrdd â nhw ar hyd y lôn o dan y coed. Brysiodd Lowri yn ôl i'w hystafell at ei chariad, a dywedodd y morynion eu bod wedi clywed rhagor o siarad uchel a chwerthin llawen.

"Y bore canlynol, disgwyliai'r gweision a'r morynion i'w meistres sôn wrthynt am y cyffro a fu yn ystod y nos. Ond ni ddywedodd air o'i phen. Aeth Lowri i'r stablau a dywedodd wrth yr ostler am ofalu am Gwyll gan fod y ceffyl wedi crwydro i dir y plas yn ystod y nos. Dyna'r cwbl a fu ar ôl cynnwrf y noson, ond dywedai'r morynion fod Lowri Cadwaladr wedi cerdded llawer yn ôl a blaen o gwmpas y gerddi yn ystod y dyddiau a ddilynodd gan ganu'n hapus iddi hi ei hun. Nid oedd neb wedi ei gweld mor ddedwyd ei hysbryd erioed cyn hynny.

"Ond ni pharhaodd y llawenydd yn hir ym Mhlas Madyn. Ymhen pythefnos union cafodd y llanc ifanc, golygus, Bleddyn Ffowc ei daro'n wael. Roedd y ffliw wedi gafael ynddo ynta hefyd, ac er i Lowri ofalu'n dyner amdano ddydd a nos, bu farw ymhen ychydig ddyddiau. Roedd bywyd newydd Lowri Cadwaladr wedi torri'n deilchion mor sydyn â drych gwydr yn disgyn oddi ar y pared. Arhosodd yn ei hystafell ddydd a nos a doedd hi ddim isio siarad gair efo neb.

"Ar ôl ychydig wythnosau, arferai'r morynion ei chlywed yn mynd allan o'r plas ganol nos, a chlywsant sŵn ceffyl yn carlamu ar hyd y ffordd. Dywedai'r ostler fod golwg flinedig iawn ar Gwyll pan âi i'r stablau ben bore, a'i fod yn chwys ddiferol.

Digwyddai hyn noson ar ôl noson, ond gofalai Lowri gyrraedd yn ôl i'r plas ar gefn y march du ychydig cyn i'r wawr dorri bob amser.

"Y pryd hwnnw roedd hen walch o ddyn yn gofalu am erddi Plas Madyn, ac roedd o wedi rhoi ei holl feddwl ar gael llestri aur gwerthfawr y teulu iddo'i hun ar ôl marw rhieni Lowri. Daeth y feistres ifanc i ddeall ei ystrywiau mewn pryd, a symudodd y llestri gwerthfawr o'r cwpwrdd lle'r arferid eu cadw, a'u rhoi mewn man diogel na wyddai neb ond y hi amdano. Deallodd y pen-garddwr yn fuan iawn fod Lowri wedi ei amau, a'i bod hitha mor gyfrwys ag yr oedd o. Cynddeiriogodd y gwalch, ac er mwyn dial arni cafodd air yng nghlust un o'r milwyr a welodd yn nhafarn y pentre un noson. Aed â'r stori i'r swyddogion fod Bleddyn Ffowc, y lleidr pen ffordd, wedi bod yn marchogaeth yn ôl a blaen i Blas Madyn bob nos ar gefn Gwyll, y march du.

"Un noson olau leuad trefnodd y milwyr i ddisgwyl am Gwyll a'i farchog tu ôl i goeden gelyn. Wyddan nhw ddim fod Bleddyn Ffowc wedi marw o'r ffliw, er eu bod wedi colli pob golwg ohono ers tro. Penderfynwyd saethu gynta a holi cwestiynau wedyn, gan eu bod yn gwybod nad oedd ganddynt geffyl a fyddai byth yn gallu dal Gwyll unwaith y dechreuai garlamu. Gwelsant y ceffyl hardd yn dynesu ac roedd ei gôt yn sgleinio yng ngolau'r lleuad. Gwisgai'r marchog fantell laes gyda chwcwll am ei ben fel mynach, a mwgwd du dros ei lygaid. Hwtiodd tylluan ym mrigau'r dderwen a thaniwyd y gynnau: clec! clec! Syrthiodd y marchog yn llipa am wddf y ceffyl. Cynhyrfodd yr anifail, cododd ei goesau blaen yn uchel i'r awyr a dechreuodd weryru. Yna, trodd a charlamodd yn ei ôl i gyfeiriad Plas Madyn.

Deffrowyd pawb yn y tŷ gan sŵn Gwyll, a phan ddaeth y gweision yno gyda'u lampau gwelsant gorff Lowri Cadwaladr, eu meistres, yn gorwedd yn farw ar y gro o flaen y drws. Ac roedd pawb wedi eu syfrdanu pan welsant ei bod yn gwisgo dillad lleidr pen ffordd."

Rhoddodd y Llewod ochenaid hir ar ôl gwrando ar Guto Hopcyn yn adrodd yr hen stori. Ond nid oedd yr hen ŵr wedi gorffen.

"A byth oddi ar y noson honno, mae ysbryd Lowri Cadwaladr yn cerdded trwy stafelloedd Plas Madyn. Mae hi'n dal i chwilio am ddyn ifanc, golygus, tebyg i'w chariad, er mwyn deud wrtho ble mae hi wedi cuddio'r llestri aur gwerthfawr. A thra deil hi i chwilio bydd ysbryd yn tarfu ar bawb sy'n byw ym Mhlas Madyn."

Curodd pawb eu dwylo'n wresog ac aeth Guto Hopcyn i eistedd at y Llewod. Cododd Meurig Puw, gŵr y Wenallt, ar ei draed i ddweud wrthynt am gofio'r hanes a chymryd sylw o'r rhybudd, gan fod pethau od iawn yn digwydd o hyd.

Ond roedd yna sŵn symud cadeiriau yng nghefn y stafell. Trodd sawl un i edrych, a gwelsant ddau lanc ifanc yn sgwrsio'n uchel gyda'i gilydd.

"Celwydd i gyd!" meddai un ohonynt.

"Stori dylwyth teg!" ebe'r llall.

Cododd y ffermwr ei lais a rhybuddiodd y bechgyn fod dau arall o'r pentref wedi herio'r ysbryd hanner can mlynedd ynghynt ar Nos Galan Gaeaf.

"Felly mi heriwn ni ysbryd Plas Madyn nos yfory, gan fod 'na rai pobl yn deud bod Lowri Cadwaladr yn dal i farchogaeth Gwyll bob nos am wythnos ar ôl yr Ŵyl. Rydan ni am farchogaeth dau ferlyn ar hyd y lôn ym mherfedd nos, a gobeithio y cawn ni weld yr ysbryd! Ha! Ha! Ha!"

Pennod 5: Y Cawell

GOFALODD DEL fod Fflwffen yn cysgu i mewn yn y tŷ y noson honno. A'r bore wedyn ar ôl codi, dilynodd hi o gwmpas yr ardd ac yna i fyny'r berllan. Nid oedd Del yn fodlon i'r gath drilliw fynd o'i golwg o gwbl. Ond nid oedd Fflwffen yn hoffi cael ei gwylio o hyd, ac ni bu fawr o dro yn rhedeg i ffwrdd oddi wrth ei meistres ar ôl iddi gyrraedd y berth uchaf.

Cerddodd Del yn ôl i'r tŷ yn ddigalon. Ond erbyn hynny roedd Einion ac Orig wedi cyrraedd gyda'r newyddion diweddaraf o'r pentref.

"Be 'di'r sgôr?" gofynnodd Wyn yn hwyliog iddynt.

"Dwy arall neithiwr!" atebodd Einion. "Felly mae 'na saith o gathod y pentre 'ma wedi diflannu hyd yn hyn. Mae eu henwau nhw i gyd i lawr yn fa'ma gen i."

"Dewch i fyny i'r ffau," sibrydodd Wyn. "Gawn ni lonydd yn fan'no. Pan mae Mam yn fy ngweld i drwy'r ffenest mae ei meddwl hi'n gweithio fel peiriant otomatig ac yn dod o hyd i ryw waith i mi wneud o hyd."

Clywodd Smwt y gair 'ffau' a chychwynnodd i gyfeiriad y dderwen o flaen pawb. Ar y ffordd i fyny baglodd Orig, a syrthiodd ar ei hyd ar y glaswellt. Ni chymerodd y pedwar arall ddim sylw ohono nes y galwodd arnynt.

"Arhoswch am funud! Dewch yma! Brysiwch!"

"Wyt ti isio help llaw i godi ar dy draed?" gofynnodd Llinos mewn llais bach maldodus gan dynnu ei goes.

"Edrychwch be sy'n fa'ma! Dyma'r codwm mwyaf lwcus ges i erioed!"

Gwyddent oddi wrth ei lais ei fod o ddifri, ac erbyn iddynt gerdded i lawr ato, gwelsant fod ganddo gawell wedi ei wneud o wifrau yn ei ddwylo.

"Ble gest ti hwnna?" gofynnodd Einion.

"Chefais i mohono fo yn nunlle. Rhoi 'nhroed i mewn ynddo fo wnes i, ac wedyn baglu a syrthio siŵr iawn!"

"Ych a fi! Mae o'n drewi!" meddai Del gan wasgu blaen ei thrwyn.

"Oglau pysgod!" meddai Einion. "Mae 'na ddarn o bysgodyn ym mhen draw'r cawell."

Rhoddodd Wyn ei law ar ysgwydd Einion a dywedodd wrth y lleill am fod yn ddistaw. Roedd Smwt wedi codi trywydd traed rhywun dieithr o gwmpas y cawell. Rhedai o gwmpas mewn cylch a'i drwyn ar y ddaear, ond munud roedd o'n mynd yn rhy agos at y pysgodyn drewllyd ysgydwai ei ben a thisian drosodd a throsodd. Roedd y Llewod i gyd bron â marw eisiau chwerthin am ei ben, ond ni feiddient ei ddrysu y funud honno.

Symudodd y daeargi ymhellach draw oddi wrthynt gan droi i'r chwith ac i'r dde bob yn ail. Yna, pan gafodd hyd i ben y trywydd aeth fel y gwynt i fyny'r berllan, a'r Llewod yn ei ddilyn. Rhedodd drwy'r bwlch yn y berth uchaf ac allan i'r ffordd. Cychwyn-nodd ar hyd honno, ond ar ôl ychydig gamau, drysodd y trywydd a dechreuodd symud o gwmpas mewn cylchoedd unwaith eto.

"Mae o wedi'i golli o rŵan!" meddai Einion.

Ceisiodd Llinos ei amddiffyn. "Ydi wrth gwrs! Mae 'na lot fawr o bobl a chŵn a chathod wedi bod ar hyd y ffordd yma heddiw. Ty'd, Smwtyn! Rwyt ti wedi gwneud yn dda iawn!"

Roedd Wyn wedi drysu'n lân. "Be sy'n bod arnon ni bore 'ma? Mae Orig yn baglu ac yn cusanu'r ddaear ar ôl baglu'n erbyn rhyw hen gawell, Smwt yn codi trywydd cwningen neu wiwer, a phawb ohonon ni'n ei ddilyn o fel ffyliaid! Mae pawb dipyn bach yn dwp ar ôl clywed y storïau ysbryd 'na."

Dringodd y pump i fyny'r ysgol raff i'r ffau yn y dderwen a bodlonodd Smwt i eistedd yn gwarchod wrth fôn y goeden. Gosododd Orig y cawell ar ben y gist de.

"Dwi'n gwybod be mae hwn yn dda!" meddai'n reit bendant.

"Finna hefyd," meddai Einion gan ei astudio'n ofalus.

"Rhywbeth wedi disgyn o'r lorri sbwriel!" dyfalodd Wyn. "Dyna pam mae 'na oglau mor gryf arno fo."

Ond roedd Orig yn edrych yn ddifrifol iawn. "Does 'na ddim lorri sbwriel yn dod yn agos i'r berllan 'ma. Mae'r cawell wedi cael ei osod gan rywun yn hwyr neithiwr mewn lle reit ddirgel yng nghanol y gwair, ac mi ddaeth y person osododd o drwy'r bwlch yn y berth. Mae Smwt wedi deud cymaint â hynny wrthon ni."

Gwrandawai pawb yn astud. Ac roedd Wyn yn amlwg yn dechrau deall, gan fod wyneb Orig yn fwy difrifol na wynebau neb arall.

"Y lleidr cathod!" meddai a'i lais yn crynu. "Mae'r lleidr cathod wedi bod ar ein tir ni. Dyna be oedd y pysgodyn yna'n dda, i ddenu cath i mewn i'r trap!"

Gwasgodd Del ei dwylo am ei bochau pan sylweddolodd mai ceisio dal Fflwffen oedd y lleidr. Dyna pam roedd o wedi gosod y cawell yn y berllan mor agos i'r tŷ.

"Mae Wyn yn iawn, ond am un peth," meddai Einion. "Ddim neithiwr y cafodd y trap cawell yma ei osod yn y berllan, ond rhai nosweithiau yn ôl. Dyna pam mae'r pysgodyn yn drewi cymaint."

"Pam na fyddai rhywun wedi dod yma i'w gario i ffwrdd neu i'w symud?" gofynnodd Llinos.

"Wn i ddim yn iawn," meddai Einion mewn penbleth.

"Hwyrach ei fod o wedi anghofio ble roedd o wedi ei osod," dyfalodd Wyn. "Ia, dyna ddigwyddodd mae'n siŵr! Mae'r lleidr yn gosod deg – neu ugain hwyrach – o'r cewyll gwifrog yma yn y pentre bob nos ar ôl iddi nosi, ac wedyn mae o'n mynd o gwmpas i'w casglu nhw cyn iddi wawrio. Dyna'r ffordd orau i ddal cathod gan eu bod nhw mor hoff o browla yn y tywyllwch."

Gwyddai pob un ohonynt fod Wyn wedi deffro o'r diwedd, a'i fod cystal â neb am ddefnyddio'i ddychymyg ar ôl iddo agor ei lygaid yn iawn.

Aethant ati i astudio'r cawell yn fanwl er mwyn gweld sut roedd o'n gweithio. Mesurai tua un metr o hyd ac roedd agoriad tua chwarter metr sgwâr yn un pen iddo. Roedd yna fachyn i ddal abwyd er mwyn denu'r gath, ac wrth dynnu yn hwnnw i gael y pysgodyn yn rhydd, roedd gwifren yn gollwng drws i lawr am geg y cawell. A dyna'r gath mewn carchar nes byddai rhywun yn ei gollwng yn rhydd.

"Dyna ryfedd," meddai Orig, "ond mae'r ddau beth sydd wedi'n cyffroi ni yr wythnos yma yn digwydd yng nghanol nos. Mae'r lladron cathod yn gweithio yn y nos, ac mae ysbryd llestri aur Plas Madyn yn prowla yn y nos hefyd."

Crychodd Llinos ei thalcen mewn penbleth. "Wyt ti'n meddwl fod 'na gysylltiad rhwng y ddau?"

Chwarddodd Wyn. " 'Chlywais i erioed am ysbryd yn dal cathod!"

Gosododd Einion ei restr o'r cathod coll ar ganol y bwrdd.

"Ydach chi isio gwybod y manylion? Dyma nhw i chi: y tair cath gynta i ddiflannu oedd Wmffra, Jabas, a Beti Bwt. Wedyn dyma'r ddwy nesa – Sionyn a Modlen. A'r ddwy aeth ar goll neithiwr ydi Matilda a Parddu."

Ochneidiodd Del. "Oni bai 'mod i wedi gofalu cadw Fflwffen yn y tŷ dwi'n siŵr y byddai ei henw hitha ar y rhestr hefyd."

"Dydw i ddim yn meddwl wyddost ti," meddai Llinos. "Mae'r trap yn y berllan ers dyddiau, er na wnaethon ni ddim digwydd ei weld. Ac roedd Fflwffen yn siŵr o fod wedi arogli'r pysgodyn 'na. Ond roedd hi'n ddigon call i beidio rhoi ei phen i mewn!"

Gwyddai Del fod hynny'n wir, ond roedd ganddi ofn credu y byddai Fflwffen yn gwneud hynny bob tro.

Pennod 6: Dal y Merlod

RHEDODD SMWT ALLAN o'r gegin gefn gan gyfarth ac aeth i sefyll ar ben y wal. Yna, dechreuodd udo yn uchel a thorcalonnus.

"Car plismyn!" meddai Llinos gan redeg allan ar ei ôl gyda Wyn a Del wrth ei sodlau.

Gallent glywed y seiren yn glir erbyn hyn, ac yna gwelsant yr ambiwlans wen yn gwibio ar hyd y ffordd. Aeth y tri i lawr i'r pentref a Smwt yn dal i gyfarth wrth i ddau nodyn diflas y seiren hollti ei ben.

"Glywsoch chi'r hanes?" gofynnodd Einion a oedd yn sefyll ar y bont gyda'i frawd. "Mae 'na helynt rhyfedd wedi bod ar lôn Plas Madyn yn ystod y nos."

Cofiodd Llinos fod y ddau lanc yn y noson lawen wedi dweud y byddent yn marchogaeth eu merlod ar hyd y lôn ganol nos er mwyn profi mai stori wirion oedd hanes ysbryd Lowri Cadwaladr.

Adroddodd Orig yr hanes cynhyrfus: "Aeth y ddau yno rywbryd tua hanner nos, a marchogaeth o'r ffordd fawr at ddrws y plasty deirgwaith i gyd. Wedyn, pan gychwynnon nhw garlamu wrth ochrau ei gilydd am y pedwerydd tro mi ddigwyddodd rhywbeth rhyfedd iawn. Syrthiodd y ddau ferlyn fel tasen nhw wedi mynd ar eu pennau yn erbyn rhyw wal anweledig ar ganol y lôn, ac mi gafodd yr hogia eu taflu ar lawr. Mae un ohonyn nhw wedi brifo asgwrn ei gefn a'r llall wedi torri ei goes."

"Lle'n union ddigwyddodd hyn?" holodd Wyn.

"Yn ymyl y gamfa gerrig, rhyw ddau gan metr o'r ffordd fawr. Mi ddychrynodd y merlod a thorri drwy'r berth agosa er mwyn dianc i'r cae. Ond roedd yr hogia mewn poen ofnadwy, yn enwedig yr un dorrodd ei goes. Roedd o'n gweiddi mewn poen wrth drio symud, ond gan fod ei ffrind o mewn cyflwr gwell, mi lwyddodd hwnnw i lusgo'i hun yn ôl at geg y ffordd. Wrth gwrs doedd 'na ddim creadur byw yn nunlle ganol nos, a doedd 'na fawr o bwrpas gweiddi a galw am help."

"Pwy gafodd hyd iddyn nhw?" gofynnodd Del yn gyffrous.

"Gyrrwr lorri; roedd o wedi digwydd tynnu mewn yn ymyl y coed yna i gael paned a dyma fo'n gweld un o'r hogia'n hanner gorwedd wrth ymyl y gwrych."

Safodd y pump ar y bont i wylio'r llanciau'n cael eu cario i'r ambiwlans er mwyn mynd i'r ysbyty am driniaeth. Taniwyd peiriant y cerbyd a chychwynnodd ar ei daith, a deunod undonog y corn yn gwneud Smwt yn lloerig unwaith eto.

"Pwy sy'n fodlon dod?" gofynnodd Orig.

"I ble?" holodd Wyn.

"Wn i ddim yn iawn…I ddeud yr hanes wrth Guto Hopcyn hwyrach?"

"I gerdded lôn Plas Madyn er mwyn gweld lle disgynnodd y merlod."

Disgleiriai llygaid Einion a Llinos.

"Does gen i ddim isio gweld ysbryd!" crynodd Del.

Ac yn fwy pwysig na dim, mae 'na bysgodyn ffres yn abwyd tu mewn iddo fo."

"Be wnest ti efo'r cawell?" gofynnodd Einion.

"Dim byd. Mae'n rhaid i ni ei adael yno a rhoi cath i mewn ynddo fo yn barod i'r lleidr. Yna, mi gawn ni edrych a gweld be wneith ddigwydd wedyn."

Nid oedd Einion ac Orig yn fodlon gwneud hynny ar y dechrau.

"Ond mae'n rhaid i ni fentro!" pwysleisiodd Wyn.

"O ble'r wyt ti'n mynd i gael cath?" gofynnodd Orig. "Cofia di fod pawb yn edrych ar ôl eu cathod fel cybydd yn gwarchod ei aur y dyddiau 'ma. Ac os cawn ni'n dal, ni gaiff y bai am ddwyn y cathod eraill i gyd."

"Mae gen i un arbennig mewn golwg."

Sylwodd y ddau frawd fod golwg nerfus yn llygaid Wyn.

"Wel?"

"Fflwffen fyddai'r abwyd gorau!"

Cyffrôdd y bechgyn drwyddynt.

"Tasa Del a Llinos yn gwybod am y cynllun yma mi fasan nhw'n dy flingo di'n fyw," ebe Orig. "Meddwl am funud be allai ddigwydd tasa dy gynllun di'n methu, a Fflwffen yn diflannu am byth!"

"Mae'n rhaid i ni'n tri ofalu ein bod ni'n llwyddo. Ac mi wnawn lwyddo hefyd gan ein bod ni'n meddwl y byd o Fflwffen – bron iawn cymaint â Del."

Daliodd Wyn i egluro ei gynllun wrthynt yn fanwl, ac yn y diwedd daethant i gytuno ei fod yn gynllun campus, ond pe baent yn methu, gwyddent hefyd y byddai'r genethod yn digio wrthynt am byth.

Treuliodd Wyn y rhan fwyaf o'r awr nesaf ar ei

ben ei hun yn ceisio dal Fflwffen. Roedd y gath drilliw fel pe bai'n gwybod bod Wyn yn bwriadu rhyw ddrwg ar ei chyfer. Ond ni allai Fflwffen wrthod chwarae gêm dal gwelltyn gyda Wyn. Ymhen tri munud ar ôl iddi ddal blaen y gwelltyn gyda'i phawen, a'i gnoi gyda'i dannedd bob yn ail, gafaelodd Wyn amdani'n dynn. Rhoddodd lot o faldod iddi, ac yna, yn ofalus, rhoddodd hi yng ngwaelod y bag lledr a cherddodd yn gyflym ar hyd ffyrdd cefn y pentref i gyfeiriad stad dai Dolmeillion.

Roedd Einion ac Orig wedi cuddio yng nghanol y coed pin ifanc ar gwr y cae ers hanner awr, ac roedd y ddau yn falch o weld Wyn yn cyrraedd gan fod yr amser wedi bod yn hir iddynt.

"Mae'n well i ni fynd â Fflwffen i'r cawell ar unwaith," meddai Wyn. "Gorau po gynta!"

Roedd y cawell gwifrog yn union fel y gwelodd Wyn ef yn gynharach y diwrnod hwnnw. Tynnwyd Fflwffen o'r bag, a chyn ei bod yn gwybod beth oedd yn digwydd iddi, roedd yn wynebu'r darn pysgodyn ym mhen pellaf y cawell. Nid oedd eisiau meddwl sut i'w chadw yno gan fod yr arogl hyfryd yn meddwi ei phen. Aeth ati i'w fwyta heb edrych dros ei hysgwydd unwaith, a chaewyd y drws tu ôl i'w chynffon.

Arhosodd y bechgyn yno nes iddi orffen bwyta, yna, cyn dechrau ymolchi ceisiodd ddod o hyd i ffordd allan. Ni allent ddioddef edrych arni'n chwilio am ddrws y cawell, ac roedd gwrando ar ei mewian torcalonnus yn codi pigyn yn eu calonnau. Ond roedd yn rhaid mynd ymlaen â'r cynllun a bod yn ddewr. Ar ôl gweld bod popeth yn iawn aeth y tri i gysgod y coed pin i ddisgwyl.

Buont yn gwylio'r cerbydau yn rhedeg ar hyd y ffordd islaw, a goleuadau yn cynnau ac yn diffodd yn ffenestri tai Dolmeillion. Fflach o olau sydyn mewn stafell wely un funud, ac yna mewn stafell ymolchi a lolfa y funud nesaf.

Trodd Orig ei ben yn sydyn. Wedi i'r ddau arall sylwi ei fod yn gwrando ni ddywedodd 'run ohonynt air o'i ben am funud cyfan. Torrwyd ar y distawrwydd pan glywodd y tri sŵn traed yn dynesu.

"Gobeithio! Gobeithio! Gobeithio!" sibrydodd Orig. "Dydw i ddim isio bod yma drwy'r nos."

"Taw!" ceryddodd Wyn. "Mae'r sŵn cerdded wedi stopio!"

Roedd yn amlwg fod y lleidr wedi sefyll i wrando cyn mentro i'r cae. Wedi iddo fodloni ei hun fod pobman yn dawel fel mynwent, clywsant ei draed yn camu drwy'r glaswellt. Gwthiodd Wyn ei benelin i asennau ei ddau gyfaill.

Aeth pum munud hir heibio cyn iddynt glywed sŵn eto – mewian bygythiol a chwythu.

"Mae Fflwffen yn dechra rhegi!" sibrydodd Wyn. "Dydi hi ddim yn licio cael ei chario fel carcharor mewn cell."

"Mae bob dim yn gweithio'n wych," meddai Einion. "Mae'n amser i ninna gychwyn ar ei ôl neu mi fyddwn ni'n siŵr o'i golli."

Aethant ar hyd y ffordd gul ar draws dau gae. Yna, dringodd y tri dros wal gerrig a dechrau cerdded ar hyd ffordd wyneb garw.

"Wyddost ti lle'r ydan ni?" gofynnodd Orig.

"Gwn yn iawn," atebodd Wyn. "Ond wn i ddim i

ble mae'r lleidr yma'n mynd â Fflwffen. Dim ond ffermydd sydd o'n blaenau ni rŵan."

"Ac un lle arall!" awgrymodd Einion.

Gwyddai Orig a Wyn eu bod yn agos i lôn Plas Madyn, ond nid oeddynt yn meddwl ei bod yn bosib mai i'r plasty roedd o'n mynd gan fod Meurig Puw wedi dweud wrthynt bod y lle'n wag ers deufis.

Cadwodd y tri mor glòs at y lleidr ag y meiddient.

"Ie, yn siŵr i ti, am Blas Madyn mae o'n mynd," mynnodd Einion wedyn mewn ychydig funudau.

Safodd y dyn a safodd y bechgyn hefyd.

"Wyt ti'n meddwl ei fod o wedi deall bod rhywun yn ei ddilyn?" gofynnodd Orig.

"Newid dwylo mae o, gobeithio," dyfalodd Wyn. "Mi wyddost ti mor drwm ydi Fflwffen."

Dechreuodd Einion boeni. "Mae'n dal i fod yn dawel ofnadwy. Be am i ni symud ymlaen yn ara deg bach er mwyn gwneud yn siŵr."

Cydiodd Orig yn ysgwyddau'r ddau arall.

"Mae o wedi cyfarfod rhywun. Ac mae'r ddau'n siarad."

"Ac yn ffraeo am rywbeth hefyd. Maen nhw'n swnio'n flin."

Dechreuodd dau aderyn sgrechian yn groch yn y coed nes boddi'r sŵn siarad. Yr un pryd, wrth geisio mynd yn nes, gwasgodd Einion ei law ar wifren bigog ar ben y ffens wrth ymyl y lôn.

"Ow!" gwaeddodd pan saethodd y boen ar hyd ei fraich.

Rhuthrodd Wyn ato a gosododd ei law ar draws ei geg. Torrodd brigyn crin o dan ei droed yntau pan symudodd mor wyllt. Dechreuodd y ddau aderyn ffraeo gyda'i gilydd unwaith eto. Yna clywsant sŵn traed yn rhedeg.

"Arna i mae'r bai am hyn," meddai Einion yn boenus. "Wyddwn i ddim fod y ffens mor agos. Mae 'na goblyn o rwyg o dan fy mawd i."

Estynnodd Orig gadach o'i boced. "Dal hwn yn dy law a chau dy ddwrn amdano fo. Brysia! Mae'n rhaid i ninna ddechra rhedeg neu mi fyddwn ni'n siŵr o golli trywydd y lleidr."

Ar ôl iddynt fynd hanner can metr i fyny'r lôn safodd y tri i wrando eto. Ond nid oedd siw na miw i'w glywed yn unlle. Neidiodd y tri pan glywsant ergyd gwn yn atseinio dros y wlad, a chododd brain o'r coed gan grawcian yn ofnus.

Orig ddaeth o hyd i'w dafod gyntaf. "Dwi'n dechra meddwl na ddylen ni ddim bod yma o gwbl."

"Ac arna i mae'r bai mae'n siŵr!" meddai Wyn. "Wel, mi gawsoch chi ddewis drosoch eich hunain i dderbyn neu wrthod fy nghynllun i. Wnes i ddim eich gorfodi chi o gwbl."

"Ond doedd dy gynllun di ddim yn un cyfan," meddyliodd Einion. "Na, paid â dechra poeni a brathu nes i mi gael egluro. Doedd 'run ohonon ni wedi meddwl sut oedd achub Fflwffen ar ôl i ni weld ble'r oedd y lleidr yn mynd â hi. Tri o rai twp ydan ni! Rhaid i ni fynd yn ôl i'r pentre heb y gath rŵan."

"Dwi'n gwybod na wna i ddim cysgu o gwbl heno," meddai Orig.

"Mae'n well arnoch chi'ch dau nag ydi hi arna i. Fi sy'n gyfrifol am y cwbl, a dwi wedi methu. Dydw i ddim yn meddwl y galla i byth gysgu eto!"

"Taw!" sibrydodd Orig.

"Be?"

"Dwi'n siŵr 'mod i wedi clywed brigau'n symud draw fan acw ar y dde."

"Mae'n well i ni fod yn ofalus iawn rŵan," rhybuddiodd Einion. "Does gen i ddim isio i neb anelu gwn ata i...Mae 'na rywun yna! Dyna sŵn troed ar y ffordd! Mae'r lleidr wedi bod yn cuddio am chydig ar ôl i mi weiddi. Ond mae o'n meddwl bod bob dim yn iawn rŵan. Rhaid i ni ddal i'w ddilyn."

Pennod 8: Trochfa

"MAE'R FFORDD yn lletach yn fa'ma," sylwodd Wyn. "Hwyrach ein bod ni'n nes at Blas Madyn nag oeddan ni'n ei feddwl."

Safodd y tri i wrando eto, ond roedd y sŵn traed o'u blaenau wedi tewi.

"Mae'n rhaid fod 'na rywun yn aros yn y plas ar hyn o bryd," meddyliodd Orig. "Hwyrach y gwneith ysbryd Lowri Cadwaladr ein helpu ni."

Aeth ias oer fel talp o iâ i lawr cefnau Einion a Wyn.

"Gobeithio mai dim ysbryd sy 'di bod yn ein denu ni ar hyd y lôn yma yn ystod yr hanner awr ddiwetha. Mae pobman yn edrych mor llonydd a thawel rŵan. Wyt ti'n meddwl y dylen ni fynd yn ein blaenau, Wyn?"

"Mae'n rhaid i ni, siŵr iawn. Neu fi gaiff y bai i gyd am golli Fflwffen! Dewch, rhaid i ni beidio gwastraffu amser."

Teimlent eu bod yn nesu'n gyflym at yr hen blasty, ac yna, yn sydyn, fel pe baent wedi cerdded allan o niwl, gwelsant waliau'r tŷ yn codi'n uchel o'u blaenau.

"Pa ffordd wyt ti am fynd gynta?" gofynnodd Orig gan y gwyddai fod Wyn yn benderfynol o chwilio yn yr adeiladau i gyd yn eu tro.

"Ar hyd y ffrynt," awgrymodd Einion gan gychwyn o flaen ei ffrindiau.

Cerddodd y tri ar flaenau eu traed heb ddweud gair wrth ei gilydd am rai munudau. Yn y tawelwch daeth storïau ysbryd yr hen blas yn ôl i'w cof. Ni fyddai 'run ohonynt wedi meiddio dod yno yn y nos ar ei ben ei hun. Ond roedd hi'n bwysig iawn eu bod yn dod o hyd i Fflwffen, ac roedd meddwl am y gath drilliw yn gwneud iddynt deimlo'n fwy dewr a mentrus.

Safodd Einion a gwnaeth y ddau fachgen arall yr un fath.

"Dim byd yn digwydd yma. Does 'na ddim llygedyn o olau yn nunlle."

"Dim ond tua hanner ffordd ar draws ydan ni rŵan. P'run bynnag, 'dan ni'n gwybod bod y lleidr wedi mynd y ffordd yma. 'Dan ni wedi dilyn sŵn ei draed!"

"Paid â gwylltio," ceryddodd Orig. "Rhaid i ni ddal ati i gerdded. Mae hynny'n well na sefyll i ddadlau a ffraeo."

Wyn aeth ar y blaen y tro yma. Roedd o'n fwy diamynedd na'r ddau arall ac roedd ei gamau'n frasach.

"Dyma ni wedi cyrraedd y gornel," meddai. "Gobeithio bod 'na ffordd i ni fynd heibio i'r cefn."

"Mae'r stablau draw ffordd acw mi fentra i," meddai Einion. "Hwyrach fod y tai allan yn lle mwy tebygol i ni ddod o hyd i rywbeth na'r plasty ei hun."

Roedd Wyn yn fodlon gwrando ar unrhyw un oedd o ddifri calon eisiau dod o hyd i Fflwffen. Cerddodd y tri dan y bwa mawr yn y wal gerrig mor wyliadwrus ag erioed, ond cawsant eu siomi ar ôl gweld bod y drysau i gyd wedi eu cloi.

"Dwi wedi trio agor chwe drws yn barod," meddai Wyn a thinc o anobaith yn ei sibrydiad. "Does 'na ddim byd yma. Be am fynd yn ôl am y tŷ a cherdded ar hyd y cefn?"

Wedi iddynt fod yn cerdded fel llygod o ddistaw mor hir roedd y tri yn tueddu i fod yn fwy esgeulus. Nid oeddynt yn brathu eu gwefusau ar ôl taro blaen troed yn erbyn carreg, ac roeddynt yn siarad yn fwy rhydd gyda'i gilydd.

"Mi faswn i'n licio cael golwg ar y briw sydd gen i ar fy llaw," meddai Einion, oedd yn dechrau teimlo'r boen yn codi unwaith eto. "Wyt ti'n meddwl, Wyn, ei bod hi'n ddiogel i gynnau'r fflachlamp am eiliad neu ddau?"

Penderfynwyd gwneud hynny wrth dalcen y tŷ. Penliniodd Einion yng nghysgod y wal, a safodd y ddau arall uwch ei ben gan daenu eu cotiau fel ambarel drosto. Roedd y gwaed wedi rhedeg ar hyd ei law, a'r hances bapur wedi glynu i'r briw. Ond nid oedd yn gwaedu, ac roedd gwybod hynny yn gwneud Einion yn fwy bodlon o lawer.

Ar ôl diffodd y fflachlamp safodd y tri cyn symud ymlaen. Cyn iddynt gyrraedd y gornel nesaf clywsant sŵn bwced yn troi ar ei hochr. Safodd y Llewod fel pe baent wedi eu taro gan fellten. Ond er disgwyl, ni chlywsant unrhyw beth arall.

"Cath mae'n siŵr!" meddai Einion ar ôl penderfynu dweud rhywbeth hwyliog er mwyn llacio'r tyndra.

"Wyt ti'n meddwl?" gofynnodd Wyn yn ddifrifol, fel dyn ar fin boddi yn estyn am ddarn o bren oedd yn nofio tuag ato.

"Tynnu dy goes di mae Einion," ebe Orig. "Dewch – ac mae'n rhaid i ni fod yn fwy gofalus."

Roedd ei gyngor yn un doeth hefyd, gan fod y tri wedi deall bod rhywun arall heblaw amdanyn nhw yn cerdded ar hyd cefnydd Plas Madyn. Daethant yn ôl i ffrynt y tŷ gan ddilyn pob smic o sŵn hyd nes safodd Orig a gwneud arwydd.

Plygodd i lawr ac estynnodd ei law o'i flaen. Clywsant sŵn dŵr a diferion yn disgyn. Aeth y ddau arall ar eu cwrcwd yn ei ymyl.

"Llyn o flaen y tŷ mae'n siŵr," meddai Einion gan drochi ei law ddolurus yn y dŵr oer.

Yr eiliad nesaf, yn hollol annisgwyl, daeth sŵn rhuthro y tu ôl iddynt. Clywsant Wyn yn gweiddi "Help!" ac yna syrthio dros ei ben i mewn i'r llyn. Cododd Orig ar ei draed rhag ofn i'r lleidr ymosod arno yntau. Ond gwelodd nad oedd raid iddo ofni pan glywodd sŵn traed yn diflannu at y tŷ a drws yn clepian yn rhywle.

Erbyn hynny roedd Einion wedi helpu Wyn i ddod allan o'r llyn ac roedd yn wlyb fel pysgodyn, a'i ddannedd yn rhincian yn yr oerfel.

"Dyna ddiwedd ofnadwy i antur y noson," meddai Einion.

"Rhaid i ni fynd yn ôl adre mor fuan ag y gallwn ni neu mi fyddi di yn dy wely am bythefnos."

"Fedra i byth fynd adre fel hyn!" meddai Wyn gan dddal ei freichiau ar led. "Be dwi'n mynd i ddeud wrth Mam? Alla i ddim deud wrthi ein bod ni'n tri wedi bod yn tresmasu ym Mhlas Madyn yma, a bod rhywun wedi ymosod arna i."

"Ymosod?" meddai Orig mewn penbleth.

"Dyna ddigwyddodd…Roedd y dyn yna tu ôl i mi cyn 'mod i wedi codi ar fy nhraed yn iawn, a dyna ergyd ar fy ysgwydd, ac wrth i mi droi i osgoi'r ergyd dyma fi'n llithro ac yn syrthio ar fy mhen i'r dŵr."

"Mae gen i syniad!" ebe Orig. "Ty'd i'n tŷ ni, ac mi gei di dynnu dy ddillad; mi wnawn ni danllwyth o dân i sychu'r dillad gwlyb 'ma."

"A dy fam yn sefyll ar ganol llawr y gegin yn edrych arnon ni mae'n siŵr!" meddai Wyn. "Mi fydd Mam yn wallgo pan ddaw hi i wybod."

"Mae Mam a Dad wedi mynd allan i ginio efo ffrindiau heno," cofiodd Einion yn sydyn.

"Pryd fyddan nhw'n dod yn ôl?"

"Un ar ddeg, neu hanner nos," ychwanegodd Orig. "Maen nhw wedi deud wrthon ni'n dau am fynd i'n gwlâu tua deg o'r gloch. Felly mi fyddi di'n iawn!"

Cerddodd y tri yn ôl am y pentref mor gyflym ag y gallent gan fod Wyn wedi oeri at fêr ei esgyrn.

"Dwi'n wlyb at fy nghroen," cwynodd.

"Paid â gwastraffu dy wynt yn siarad," meddai Einion. "Ty'd, mae'n well i ni redeg chydig bach, mi wnei di gynhesu wedyn."

Ar ôl cyrraedd, ymbalfalodd Orig am allwedd y drws cefn o'i boced, ac aeth Einion i mewn i gynnau'r golau. Tynnodd Wyn ei ddillad gwlyb i gyd ar garreg y drws. Daliodd ei sgidiau a'u pennau i lawr er mwyn i'r dŵr redeg allan ohonynt. Yna, gwasgodd ei ddillad. Rhedodd i'r tŷ a'i groen fel croen gwydd. Rhwbiodd Orig ei gefn gyda lliain tew, a chafodd wisgo dillad nos Einion amdano a gŵn llofft dros y rheini wedyn. Cyn hir roedd y lolfa fel tŷ golchi yn y dref, a chymylau o ager yn codi o'r dilladau oedd wedi eu taenu o flaen y tân mawr gwresog oedd yn y grât. Roedd dau dân trydan yn sychu'r sgidiau, y sanau a'r dillad isaf hefyd.

"Mae'n well i mi ffonio dy fam," meddai Einion, "a deud wrthi bod Orig a minna yma ar ein pennau ein hunain. Mi fydd hi'n siŵr o adael i ti aros i gadw cwmni i ni nes daw Mam a Dad yn ôl."

"Grêt!" meddai Wyn gan deimlo'n llawer gwell ar ôl cynhesu.

Daeth Einion yn ei ôl i'r gegin mewn dau funud a golwg fuddugoliaethus ar ei wyneb.

"Popeth yn iawn! Rwyt yn cael aros efo ni tan un ar ddeg, meddai hi. Paid byth â rhoi fyny!"

Sychodd y dillad yn braf, a'r tri yn eu troi drosodd a throsodd, bob yn ail â chario rhagor o lo i'w roi ar y tân, a'i brocio o hyd er mwyn cael digonedd o wres.

"Hwyrach y byddai'n well i mi agor y ffenest," meddyliodd Orig wrth sylwi bod y stafell yn llenwi gyda stêm cynnes wrth i'r dillad sychu.

Canodd cloch drws y ffrynt. Safodd y tri fel pe bai rhywun wedi bygwth eu saethu.

"Pwy goblyn sydd 'na rŵan?" meddai Wyn a dychryn lond ei lygaid.

"Does 'na neb i fod i alw heno," meddyliodd Einion. "Ond mae'n rhaid i mi fynd i weld. Mae'n rhy hwyr i ni ddiffodd y golau a chymryd arnom fod neb adre."

Pennod 9: Noson o Chwerthin

SAFODD WYN ac Orig wrth ddrws y gegin yn gwrando tra oedd Einion yn agor y drws ffrynt. Edrychodd y ddau mewn braw ar ei gilydd wrth iddynt adnabod y lleisiau.

"Llinos a Del!"

Cerddodd y ddwy eneth i mewn i'r stafell, ac roedd gwên ar eu hwynebau, ac Einion yn hanner crynu mewn ofn y tu ôl iddynt. Daeth Fflwffen i feddwl y bechgyn yn syth. Pan welodd Del a Llinos eu brawd ger y tân mewn dillad nos safodd y ddwy yn stond, a rhythu arno fel pe baent yn edrych ar ysbryd.

"Be sy'n bod arnat ti?" gofynnodd Llinos. "Wyt ti'n mynd i gysgu yma heno?"

Edrychodd Del o'i chwmpas. "Mae'n boeth fel ffwrnais yma! Pam mae dy fam yn sychu'r dillad gwlyb i gyd yn y tŷ?" Yna edrychodd yn fwy manwl ar y dilledyn agosaf ati. "Mae gan Wyn siwmper yn union 'run fath â hon!"

Gwylltiodd ei brawd. "Pam ydach chi'ch dwy wedi dod i lawr yma? 'Dan ni hogia isio llonydd i fod ar ein pennau ein hunain weithia."

Safodd Llinos o'i flaen ac roedd ei llygaid yn fflamio. "Llewod ydan ni i gyd, Wyn Prys! Ac nid criw o hogia a genod wedi gweld ei gilydd heddiw

am y tro cynta. Ble buoch chi'ch tri beth bynnag?
Pan oedd arnon ni fwyaf o'ch angen chi, doedd neb
yn gwybod lle i gael gafael arnoch chi. Ond ar ôl i
Einion ffonio mi lwyddais i i berswadio Mam i adael
i ni'n dwy ddod i lawr yma. Mae'n rhaid i ni gael
cyfarfod o'r Llewod ar unwaith..."

Torrodd Del ar ei thraws. "Dillad Wyn ydi rhain!
Pam mae dy ddillad di mor wlyb? Dydi hi ddim wedi
glawio o gwbl heddiw!"

"Syrthio i'r dŵr wnes i. Dwi'n gwybod ei fod o'n
beth twp i'w wneud, ond paid â holi chwaneg."

"Einion, gad i mi fynd allan am funud i weld ydi
Fflwffen wedi'n dilyn ni yma," ebe Llinos.

"Paid â phoeni am Fflwffen rŵan," meddai Einion
gyda chrac yn ei lais, "mi fydd y gath yn iawn. Os
ydi hi wedi crwydro mae'n siŵr o ddod adre yn hwyr
neu'n hwyrach."

Ond mynnodd Llinos gael mynd i'r drws.

"Mae'r hen Fflwffen wedi bod fel ffŵl hurt ar hyd
yr awr ddiwetha. Wyddoch chi lle'r oedd hi pan
ddaethon ni adre?"

"Wyt ti wedi gweld Fflwffen?" gofynnodd Wyn yn
eiddgar gan godi o'i gadair.

"Do! Pam?"

"Dim byd...Dim ond 'mod i'n falch o wybod ei bod
hi'n saff..."

"Ar ben y giât fawr oedd hi beth bynnag, yn eistedd
fel brenhines. Ac wedyn mi ddilynodd ni i'r tŷ ac i
bob man arall hefyd. Roedd ganddi hi ofn ein gadael
ni am funud; wnai hi ddim aros ar ei phen ei hun i
fwyta'i swper hyd yn oed...Ofn iddi drio dod ar ein
holau o'n i, a rhedeg dan gar neu lorri ar y ffordd."

Rhoddodd y tri ochenaid o ryddhad ar ôl cael gwybod fod y gath drilliw yn fyw ac yn iach. Ni fyddai raid iddynt byth ddweud wrth y genethod am gynllun Wyn oedd wedi methu mor ddifrifol.

"Camp i chi ddyfalu ble bu Llinos a minna heno!" meddai Del.

"Mae'n well i ti ddeud wrthon ni ar unwaith," meddai Wyn yn gymysglyd. "Does gen i fawr o amynedd i drïo ateb posau y funud yma!"

"Ho! Ho! Ho!" chwarddodd Llinos. "Felly ti'n gwybod sut ydw i'n teimlo weithia pan fyddi di'n ein poeni ni efo dy bosau gwirion!"

"Ble buoch chi?" gofynnodd Einion.

Eisteddodd Llinos ar fraich y gadair a Del wrth ei hochr.

"Ar hyd y ffordd unig 'na i gyfeiriad Llwyn Du."

"Heibio Plas Madyn?" gofynnodd Orig mewn braw.

Gwenodd Del. "Mae genod yn gallu bod yn fwy dewr na hogia weithia."

"Taw!" ceryddodd Llinos. "Llewod ydan ni i gyd, ac mae pawb 'run fath!"

"Gorffen dy stori, Llinos," crefodd Einion.

"Wel, pan oeddan ni'n cerdded yn gyflym heibio'r pistyll yn ymyl wal fawr y plas dyma Del yn clywed sŵn mewian. A dyma ni'n dwy yn sefyll i wrando, ac mi welson ni gath frech efo coler goch am ei gwddf yng ngolau'r fflachlamp, a honno'n gwasgu dan y drws sy'n arwain i gefn y plas..."

Roedd Del eisiau dweud gweddill yr hanes.

"Dyma ni'n gwthio'r drws nes ei fod o'n agor yn araf. Roedd gynnon ni goblyn o ofn, achos roeddan ni'n cofio'r storïau ysbryd, a hitha mor dywyll hefyd. Ond roeddan ni'n meddwl bod y gath ar goll gan ei bod hi'n mewian yn ofnadwy, a Meurig Puw wedi deud bod yna neb yn byw yn y plas rŵan. Roeddan ni'n gobeithio bod rhyw enw ar goler y gath hefyd, er mwyn mynd â hi'n ôl i'w chartref...Deud ti be ddigwyddodd wedyn, Llinos."

Cododd ar ei thraed a gwyddai'r tri bachgen oddi wrth ei hwyneb eu bod ar fin gwrando ar bennod fwyaf cyffrous yr hanes.

"Pan oeddan ni'n mynd ar ôl y gath frech dyma hi'n taro rhyw hen raw ar lawr. Dyna pryd y cododd gwallt fy mhen i fel gwrychyn Smwt. Roedd 'na rywun yn cerdded yn ddistaw bach tu ôl i ni..."

Rhoddodd Orig bwniad i Wyn gyda'i benelin.

"...Ymlaen â ni heibio talcen y plas a'r traed yn dod yn nes aton ni o hyd. Doedd gynnon ni ddim syniad be oedd yn mynd i ddigwydd nesa. Ro'n i'n disgwyl i rywun ymosod unrhyw funud. Ac yn waeth na dim, roedd y lle'n ddieithr ac felly roedd rhaid i ni fynd yn ôl i'r ffordd drwy'r un drws yn y wal ag y daethon ni drwyddo. Ond doedd dim posib gwneud hynny gan fod y dyn yna rhyngon ni a'r drws o hyd. Wedyn dyma ni'n mynd o flaen y tŷ ac yn crwydro i ganol rhyw lwyni mawr, deiliog. Y funud nesa dyma'r dyn yn sefyll. Roedd yn rhaid i ni fynd yn ôl neu mi fasan ni ar goll. Mi ddaeth Del o hyd i bren cryf, a dyma finna'n mynd yn ôl yn ddistaw bach ac yn gwthio'r dyn bach, byr ar lawr efo'r pren, cyn i ni'n dwy redeg fel milgwn i gefn y plas ac allan drwy'r drws i'r ffordd. A dal i redeg a rhedeg nes ein bod ni wedi colli'n gwynt yn lân..."

Sylwodd Del ers meityn fod wynebau Einion ac Orig yn cochi fwyfwy bob munud, a'u llygaid yn disgleirio. Yna ffrwydrodd y brodyr fel dwy falŵn, a chwerthin dros y lle nes bod dagrau'n rhedeg i lawr eu gruddiau.

Edrychodd Llinos yn syn arnynt, ac am funud roedd hi'n dechrau meddwl bod y ddau ohonynt yn chwerthin am ei phen hi. Yna, sylwodd fod Wyn yn edrych yn ddifrifol iawn.

"Pam ydach chi'ch dau yn ymddwyn fel ffyliaid, a Wyn mor drist a digalon?"

Ond dal i chwerthin wnaethant, gan sboncio i fyny ac i lawr yn eu cadeiriau.

"Deudwch wrthon ni be sy mor ddoniol!"

Sychodd Einion y dagrau yn ei lygaid. " 'Dan ni'n nabod y dyn bach rwyt ti newydd sôn amdano…Wyt ti ddim yn gweld bod Wyn yn wlyb fel dafad ar ôl i ti ei wthio fo i mewn i'r llyn?"

Roedd Wyn yn dechrau gweld y sefyllfa yn ddoniol erbyn hyn a dechreuodd yntau wenu.

"Sut mae posib i'r Llewod ddal ysbryd na lleidr cathod os ydyn nhw'n ymosod ar ei gilydd!" meddai Orig.

"Paid â phoeni, Wyn bach," meddai Llinos ar ôl codi ar ei thraed. "Mae dy ddillad di'n sychu'n braf. A dwi'n addo peidio gwneud dim byd tebyg i ti byth eto!"

Yna meddyliodd yn sydyn a chrychodd ei thalcen mewn penbleth.

"Pa fusnes oedd gynnoch chi'ch tri i fynd i Blas Madyn i hela ysbrydion heb ddeud wrth Del a minna?"

"Aros di am funud, Llinos," meddai Orig. "Yr un hawl yn union ag oedd gynnoch chi eich dwy i fynd yno i achub cath frech efo coler goch!"

"Ond damwain oedd hynny!" protestiodd Llinos.

"Damwain bwysig iawn hefyd, hwyrach," meddai Wyn. "Rhaid i'r Llewod i gyd fynd yn ôl i Blas Madyn yn fuan iawn, a gofalu ein bod ni'n gweithio efo'n gilydd y tro nesa."

Pennod 10: Crafiadau

"DWI'N TEIMLO'N FLIN iawn efo ti, Wyn!" meddai ei fam pan safodd wrth ochr ei wely yn galw arno i godi fore drannoeth.

Cofiodd Wyn am y drochfa yn y llyn y noson cynt a'r drafferth a gafodd i sychu ei ddillad. Ond wedi gweld ei sgidiau roedd Bethan Prys, ac roedd mor brysur yn cadw stŵr fel nad oedd yn rhoi cyfle i'w mab ddweud un gair i amddiffyn ei hun. Ac roedd Wyn yn falch o hynny am unwaith, gan ei fod yn ddigon bodlon iddi gadw stŵr am iddo wlychu ei sgidiau. Beth pe gwyddai ei fod wedi syrthio dros ei ben i'r llyn!

"Mae golwg ddifrifol ar dy sgidiau di. Ble ar wyneb y ddaear wyt ti wedi bod, wn i ddim wir...Na, paid ti ag ateb dy fam yn ôl. Mae'n bryd i mi gael llonydd i ddeud be sy gen i ar fy meddwl yn y tŷ yma heb i neb dorri ar fy nhraws i. Ond o hyn allan, dwyt ti ddim i fynd i bysgota nac yn agos i afon Wenlli o gwbl nes daw'r Gwanwyn...Na, paid ti â meddwl 'mod i'n mynd i wrando ar lond gwlad o esgusion! Waeth gen i am Einion ac Orig na neb arall. Fi sy'n gofalu amdanat ti, a fi'n sy'n gwneud rheolau yn y tŷ yma ac nid 'run ohonoch chi'ch tri...Mae dy sgidiau di wedi sychu, ac mae 'na lwydni gwyn drostyn nhw i gyd. Dyna fi wedi dy rybuddio di am y tro ola!"

Aeth allan o'r stafell wely a rhedodd i lawr y grisiau mewn tymer. Ochneidiodd Wyn un ochenaid hir, hapus. Nid oedd erioed wedi bod mor falch fod ei fam wedi mynnu ei fod yn cadw'n ddistaw a dweud dim gair. Pe gwyddai Bethan Prys y gwir am y noson cynt byddai wedi neidio allan drwy'r to.

Pan alwodd Llinos, Del, a Wyn ym Mhengwern, roedd y tri wedi synnu clywed bod Einion wedi mynd i weld y doctor ynglŷn â'r briw gafodd ar ei law ar ôl cydio yn y wifren bigog.

Cyn iddynt gyrraedd y feddygfa, gwelsant tua phymtheg o bobl yn sefyll ar y ffordd a phawb yn astudio'r adeilad, ac roedd plismon y pentref yn eu mysg.

"Cochyn!" rhybuddiodd Llinos, "Mae 'na ryw helynt wedi digwydd. Gobeithio bod Einion ac Orig yn iawn y tu mewn beth bynnag."

Gwelsant yn syth ar ôl sefyll gyda'r pentrefwyr fod ffenest yng nghefn yr adeilad wedi ei thorri, ac roedd dau swyddog o swyddfa'r heddlu yn y dref yn chwilio am olion bysedd. Edrychodd y tri arnynt yn gwasgaru llwch ar hyd silff y ffenest, ac yna'n ei frwsio'n ysgafn a chwilio'n fanwl wedyn am olion.

"Pupur!" meddai Llinos a sŵn buddugoliaethus yn ei llais.

"Wyt ti'n hollol dwp?" meddai Wyn wrthi, gan ei bod yn edrych arno ef a'i llygaid yn dawnsio mewn llawenydd.

"Dydi plismyn ddim yn defnyddio pupur i ddod o hyd i olion bysedd!"

"Y pos, Wyn! Pupur ydi'r ateb, siŵr iawn."

Crafodd ei ben mewn penbleth.

"Dwi wedi talu'r ddirwy! Dwi newydd ddeud wrthot ti mai pupur sy'n aros yn boeth hiraf yn y rhewgell...Gweld y dynion 'na wrthi rŵan wnes i, a dyma'r ateb yn dod fel gwennol o rywle!"

"Iawn hefyd! Ro'n i wedi anghofio. Rwyt ti wedi cael yr ateb cywir y tro cynta..."

Ond y funud nesaf, cymerodd arno edrych yn gas iawn. "Ond rhaid i mi feddwl am bos caletach o'r hanner ar ôl be wnest ti i mi neithiwr."

Teimlodd y tri eu hunain yn crebachu ac yn oeri drwyddynt. Roedd Cochyn wedi eu gweld ac yn gwthio'i ffordd tuag atynt drwy ganol y bobl, gan ddal ei ddwylo mawr tu ôl i'w gefn.

"Nid rhyw sioe geiniog a dimai sy'n fa'ma! Adre â chi! Mae hi bron yn amser i chi fynd i'ch gwlâu! Does gen i ddim isio cloi plant bach yn y carchar am gau'r ffordd fawr a rhwystro plismyn y deyrnas rhag gwneud eu dyletswydd."

Sleifiodd y tri yn ddistaw heibio'r talcen ac aethant i mewn i'r stafell ddisgwyl lle'r oedd Einion ac Orig yn aros eu tro.

"Pan fydda i'n hŷn, mi rydw i'n mynd i ddysgu gwers i Cochyn am fod yn gymaint o fwli," meddai Wyn gan grensian ei ddannedd.

"Wnaeth i ti heb â gobeithio bod cymaint â Cochyn," meddai Orig. "Dwi'n siŵr ei fod o'n dal i dyfu o hyd. Mi fydd Moelfryn yn enwog iawn rhyw ddiwrnod pan fydd y plismon talaf a'r mwyaf twp yn y byd yn byw yma."

Aeth Del i eistedd wrth ochr Orig. "Be sy wedi digwydd yn fa'ma? Be mae'r plismyn yn ei wneud wrth y ffenest yma?"

"Lladron wedi torri mewn yn ystod y nos a lot o boteli moddion, iodin, gwlân cotwm, tiwbiau profi ac ati ar goll."

Gorffennodd Einion y rhestr: "A sisyrnau, chwistrelli, a gefeiliau main."

"I be oedd isio dwyn petha felly?" gofynnodd Wyn.

"Does 'na neb yn gwybod...Dos i ofyn i Cochyn, mae o'n gwybod bob dim."

Agorodd y drws mewnol a galwodd nyrs ar Einion i fynd drwodd at y meddyg.

Roedd golwg ddryslyd iawn ar wyneb y doctor ac roedd yn cyffwrdd y naill beth a'r llall o hyd ar ei ddesg, fel pe bai newydd ddarganfod eu bod yn dal i fod yno. Yna, dechreuodd archwilio bawd Einion.

"Mae'n archoll cas. Pam oeddat ti'n trio lladd dy hun efo weiren bigog?...Agor a chau dy ddwrn yn ara bach er mwyn i mi gael gweld yn iawn."

Golchodd y briw yn lân ac yna cofiodd fod yr iodin wedi ei ladrata.

"Eistedd fan acw am chydig, mi rydw i'n disgwyl rhyw fanion o'r dre unrhyw funud. Mae popeth yn anrhefnus iawn y bore 'ma."

Dewisodd Einion gadair wrth ochr dyn ifanc a oedd, fel yntau, yn disgwyl am ragor o driniaeth. Roedd ganddo ddarn mawr o wlân cotwm ar ei lin, a bob yn hyn a hyn roedd yn rhedeg ei fysedd ar hyd y briwiau oedd ganddo ar gefn ei ddwylo. Edrychodd Einion drwy gornel ei lygad ar y crafiadau hirion a meddyliodd i ddechrau mai dyn syrcas ydoedd, a bod teigr wedi ymosod arno a'i gripio.

Agorodd y drws a daeth gwraig â bocs i mewn i'r stafell a'i lond o boteli bychain a thuniau. Daeth gwên i wyneb y meddyg am y tro cyntaf y bore hwnnw. Galwodd ar y dyn gyda'r crafiadau ar ei ddwylo. Yna taenodd eli ar y briwiau'n ofalus a dododd rwymyn amdanynt.

"Cyn i chi fynd mae'n rhaid i mi gael manylion ar gyfer y ffurflen yma...Diolch bod y lladron wedi gadael y ffurflenni ar ôl beth bynnag. Does neb byth isio petha gwirion felly...Eich enw chi, os gwelwch yn dda?"

"Morus Tomos."

"Ac roeddach chi'n deud gynnau eich bod chi ar eich gwyliau yma...Felly mae'n well i mi gael enw'r tŷ rydach chi'n aros ynddo ym Moelfryn."

Petrusodd y dyn ifanc. Cododd y meddyg ei ben i edrych arno.

"Enw'r tŷ, dyna'i gyd."

Daliodd y dyn ifanc i betruso. Crafodd ei wddf a phesychodd fel pe bai'n ceisio gwneud esgus am fod mor hir yn ateb.

"Ym...ym...Bryn Cadno, Moelfryn...Ro'n i'n methu cofio am funud."

"Popeth yn dda...Dyna ni, dwi'n meddwl. Ewch â'r eli efo chi, a rhowch ragor ar y briwiau dair neu bedair gwaith bob dydd. A gofalwch gadw'ch dwylo'n lân. Mi ddylen nhw wella'n reit dda mewn deuddydd neu dri..."

Yna daeth tro Einion. Teimlai'r dolur yn llosgi ar ei law wrth iddo eistedd ar y gadair o flaen desg y meddyg. Daliodd ei anadl wrth i'r iodin melyn fynd i'r briw. Roedd y boen fel cyllell yn mynd i fyny ei fraich. Caeodd ei lygaid, a dywedodd y doctor ei fod yn ddewr. Yna, lliniarodd y boen ychydig bach, ond roedd yn falch o weld y doctor yn gosod y botel fach dywyll ar y ddesg, a thaflu'r gwlân cotwm i'r fasged.

"Chlywais i mohonot ti'n gweiddi!" heriodd Wyn ar ôl iddo ddychwelyd i'r stafell ddisgwyl. "Oedd o'n brifo?"

"Yn waeth o'r hanner na'r weiren bigog! Oes 'na syrcas yn yr ardal yma?"

"Pam wyt ti'n gofyn?" holodd Llinos gan godi ei phen o'r cylchgrawn lliwgar oedd ganddi ar ei glin.

"Roedd y dyn oedd i mewn o 'mlaen i wedi cael crafiadau dychrynllyd ar gefn ei ddwylo. Gan fod yna ddim sŵ yn ymyl, meddwl o'n i fod 'na syrcas ar daith drwy'r ardal 'ma."

"Y Llewod fyddai'r rhai cynta i wybod pe bai yna un!" meddai Orig. "Sut fath o grafiadau oedd gynno fo?"

"Rhai hir, dyfn – fel crafiadau ewinedd teigr."

Goleuodd wyneb Llinos. "...Tybed oes a wnelo'r dyn 'na rywbeth â'r cathod sydd ar goll...Tasa fo'n trio dwyn Fflwffen dwi'n ddigon siŵr y basa hi'n cripio'i ddwylo fo yn waeth na theigr gwyllt!"

Pennod 11: Cynllunio

"MAE GYNNON NI gwestiwn pwysig i chi, Guto Hopcyn!" galwodd Del wrth ddringo i fyny llwybr gardd Llety'r Wennol.

Roedd y pedwar arall yn ddig wrthi am fynnu gwthio o flaen pawb.

"Paid â deud dy fod titha wedi cael y clwy posau fel dy frawd!"

"Nid pos ydi'r cwestiwn yma," eglurodd Llinos. "Wyddoch chi am dŷ ym Moelfryn o'r enw Bryn Cadno?"

Rhwbiodd yr hen ŵr ei ên wrth redeg llygad ei feddwl yn sydyn drwy ganol y pentref.

"Dyna beth rhyfedd a minna wedi byw yma erioed. Mae'n rhaid 'mod i'n mynd yn hen a'r cof yn dechra rhydu."

"Rydan ninna'n mynd yn hen hefyd," meddai Einion. "Does 'run o'r Llewod yn gwybod am unrhyw Fryn Cadno yn y pentre na'r ardal o gwmpas."

"Ac rydan ni wedi cofio am bob tŷ newydd sydd wedi ei adeiladu'n ddiweddar," ychwanegodd Wyn.

"Rhyfedd ar y naw!" meddai Guto Hopcyn wrtho'i hun gan ddal i feddwl. "Cadno…llwynog…madyn."

"Pam rydach chi'n deud 'madyn'?" gofynnodd Orig mewn dryswch.

"Dim ond meddwl o gwmpas yr enw ro'n i, rhag

ofn fod rhywun wedi gwneud camgymeriad…"

"Madyn…Plas Madyn!" meddyliodd Einion. "Be ydi 'madyn'?"

"Llwynog, neu gadno, os mynni di. Mae 'na dri enw gwahanol ar yr un creadur yn Gymraeg. Dyna sut cafodd yr hen blasty yma ei enw ryw oes yn ôl, mae'n siŵr."

"Gwrandewch am funud!" meddai Einion. "Atebwch y cwestiynau yma i gyd. Mi gaiff unrhyw un ateb. Pa enw sy'n dod i'ch meddwl chi'n syth pan dwi'n deud 'Pwyll'?"

"Rhiannon," atebodd Llinos.

"Un arall…Bedwyr?"

Wyn oedd y cyntaf. "Y Brenin Arthur neu Cai."

"Iawn…"

Roedd llygaid Einion yn dawnsio'n gyflymach gyda phob ateb a gâi. "Gelert?"

"Mi wn i!" meddai Del. "Llywelyn!"

"Dyna brofi'r peth yn iawn deirgwaith," meddai Einion gan deimlo'n fwy balch nag erioed.

Roedd Llinos yn ysu eisiau gwybod beth oedd ystyr y gêm.

"Wyddost ti, Einion, does yna 'run ohonon ni yn dy ddeall di. Rwyt ti'n cael hwyl fawr am rywbeth ond mae pawb arall yn y tywyllwch!"

"Dydach chi ddim yn gweld?"

"Does 'na neb yn gweld mewn tywyllwch!" pwysleisiodd Orig. "Dim ond tylluanod a chathod…"

"Ia, cathod! Ac mae a wnelo hyn â chathod hefyd dwi'n meddwl…Ddim wedi anghofio enw'r tŷ oedd y dyn wrth i'r doctor lenwi'r ffurflen. Doedd arno fo ddim isio deud lle mae o'n aros. Felly roedd yn rhaid iddo fo feddwl am rywbeth yn sydyn gan fod y doctor yn disgwyl. Ac yn lle 'madyn' dyma fo'n deud 'cadno' a galw'r tŷ dychmygol yn 'Bryn Cadno'. Fel 'na mae'r meddwl yn gweithio. Rydach chi newydd brofi hynny rŵan efo'r enwau yna ddeudais i wrthoch chi!"

"Mae'n gwneud dipyn o synnwyr i mi," meddyliodd Orig.

"Yn enwedig gan fod 'na grafiadau cathod ar gefn ei ddwylo," ychwanegodd Llinos.

"Un gath fwy ffyrnig na'r lleill i gyd wnaeth ymosod o ddifri arno, mae'n siŵr!" meddai Wyn, gan roi winc slei ar y bechgyn eraill ar ôl cofio bod rhywbeth od wedi digwydd i'r lleidr gyda'r cawell dal cathod wedi iddynt gyrraedd lôn Plas Madyn y noson cynt.

"Rwyt ti bron mor glyfar â Cochyn!" meddai Guto Hopcyn wrth Einion. "Fydd hi ddim yn saff i neb ohonon ni fyw yn y pentre 'ma cyn hir."

"Gawn ni rannu cyfrinach efo chi, Guto Hopcyn?" gofynnodd Llinos, bron â marw eisiau cael dweud wrth yr hen ŵr beth oedd y Llewod yn ei amau.

"Chi sydd i benderfynu, blantos. Ond cofiwch chi fod rhyw hen air yn deud mai'r ffordd orau i golli cyfrinach ydi ei rhannu hi efo rhywun arall."

"Ond wneith Guto Hopcyn byth ddeud wrth neb!" cyhoeddodd Del. "Mae o'n saff fel y banc."

Roedd llais Einion yn dawelach pan ddechreuodd ddweud beth oedden nhw'n ei feddwl.

"Mae'r lleidr cathod sy'n poeni pobl yr ardal 'ma yn gysylltiedig, rhywsut, â Phlas Madyn. Ac mae'r dyn yna welais i yn syrjeri'r doctor heddiw wedi cael ei grafu gan un ohonyn nhw. Felly rhaid i'r Llewod fynd i'r hen blas yng ngolau dydd."

"Rwyt ti'n gall iawn," gwenodd Guto Hopcyn. "Does 'na ddim sôn bod neb wedi gweld ysbryd yno cyn iddi nosi!"

"Ond mae'n rhaid inni feddwl am esgus i alw yno," meddyliodd Wyn. "Be am syniadau?"

Dechreuodd Llinos ac Orig gynnig rhai bob yn ail.

"Deud ein bod ni'n gwerthu rhywbeth o ddrws i ddrws."

"Neu hwyrach yn casglu at ryw achos da..."

"Mae casglu yn well na gwerthu," meddyliodd Wyn. "Ond at be gawn ni gasglu?"

Cofiodd Orig am y wraig alwodd ym Mhengwern bythefnos yn ôl yn casglu ar gyfer plant amddifad.

"Cathod amddifad!" meddai Wyn fel ergyd o wn.

"Dyna fyddai orau," cytunodd Einion. "Cronfa'r Cathod Amddifad!"

"Ac mae gen i flwch crwn yn y tŷ," meddai Guto Hopcyn oedd hefyd yn hoffi'r syniad. "Hen flwch casglu mae rhywun wedi adael yma ar ôl eisteddfod neu garnifal erstalwm. Dewch yma mewn awr ac mi fydd enw'r gronfa ar y blwch yn barod i chi."

Roedd y Llewod yn falch o gael yr amser er mwyn mynd i'r ffau yn y berllan i roi trefn ar bopeth yn eu meddyliau.

"Un pos hawdd tra byddwn ni'n cerdded yno," awgrymodd Wyn. "Pwy sy'n gwybod be ydi hwn: mae'n fyw yn y gaea ac yn marw pan ddaw'r ha, gan fod ei wraidd i fyny mae ynta'n tyfu ar i lawr."

"Dyna Wyn wedi mynd â ni i wlad pob peth o chwith fel arfer," meddai Llinos.

Del roddodd gynnig arni gyntaf. "Coeden, ella, os oes 'na goeden yn America neu Affrica yn tyfu ar i lawr."

"Dim gobaith!" meddai Wyn.

"Rhyw fath o blanhigyn, os oes gwraidd ganddo fo?" awgrymodd Orig.

"Ddeudais i ddim byd am hynny."

"Ysbryd?" cynigiodd Einion gan feddwl am Blas Madyn yr un pryd.

"Pawb wedi gorffen!" meddai Llinos yn falch fod pob un arall yn meddwl fod posau ei brawd yn hurt.

"Oer!" meddai Wyn.

"Ydan ni yn bell allan ohoni?" gofynnodd Einion.

"Wrth gwrs eich bod chi. Ond cliw ydi 'oer' y tro yma."

Distawrwydd eto am ychydig, a phawb ond Llinos yn meddwl nes eu bod yn gweld sêr o flaen eu llygaid.

Lledodd Wyn ei ysgwyddau a gwthiodd ei frest allan yn bwysig er mwyn i Llinos ei weld.

"Cloch iâ ydi'r ateb."

"Be?"

"Pibonwy – y bys o rew sy'n tyfu i lawr o'r graig yn y gaea!"

Pennod 12: Tric

"SMWT! SMWTYN! Ble'r wyt ti, Smwtyn!"

Galwodd Llinos ar y daeargi ar ganol y lawnt.

"Wyt ti ddim yn meddwl y byddai'n well i ni ei adael o yma heddiw?" gofynnodd Orig.

"Tasan ni'n mynd i hel arian o gwmpas tai y pentre mi fasa'n brafiach hebddo fo, rhag ofn iddo fo redeg drwy'r gerddi. Ond hwyrach y bydd hi'n werth i ni fynd â fo efo ni i Blas Madyn...Dyma ti, Smwtyn! Wyt ti isio dod am dro? Dyna gi da wyt ti, ynte!"

Gwyddai'r bechgyn nad oedd modd newid meddwl Llinos pe baent eisiau gwneud hynny fwyaf yn y byd.

Roedd Del yn gafael yn dynn yn y blwch casglu a'r geiriau 'Cronfa'r Cathod Amddifad' mewn llythrennau coch, breision ar ei ochr.

Penderfynwyd mynd ar draws y caeau, ac yna cerdded i fyny'r lôn at y plas. Doedd dim creadur byw i'w weld yn unlle, a phan gurodd Wyn ar y drws ffrynt nid oedd 'run o'r Llewod yn disgwyl ateb.

"Be wnawn ni rŵan?" gofynnodd Del.

"Hwyrach y dylen ni fynd i chwilio am ddrws cefn," cynigiodd Einion, "neu fynd draw at y stablau a'r adeiladau eraill fan acw."

"Y stablau gynta," penderfynodd Wyn.

Rhedodd y daeargi o'u blaenau gan sefyll yn awr

ac yn y man wedi iddo arogli rhywbeth newydd a diddorol. Cadwai Llinos olwg arno trwy'r amser rhag ofn iddo fynd yn rhy bell oddi wrthi.

"Mae 'na glo clap ar bob drws," sylwodd Orig cyn iddynt gyrraedd atynt. "Edrychwch ar Smwt yn busnesa!"

Safodd y Llewod i edrych arno yn ceisio gwthio'i drwyn dan y drysau, ond nid oedd digon o le iddo weld i mewn o gwbl. Yna, rhedodd yn ei ôl at y drws canol a neidiodd i fyny deirgwaith fel pe bai'n ceisio ei wthio'n agored. Pan wrthododd adael y drws a dechrau gwneud sŵn gwichlyd yn ei wddf, dechreuodd y pump ddangos diddordeb hefyd.

"Waeth i ni heb â meddwl mynd i mewn," meddai Llinos mewn anobaith gan gydio yn y clo trwm. "Mae'n rhaid fod y stabl yma'n llawn o aur!"

Sylwodd Einion fod yna o leiaf hanner metr o le rhwng pen y drws a'r ffrâm, ond roedd yn rhy uchel i 'run ohonynt ei gyrraedd.

"Does 'na ond un peth amdani," meddyliodd Orig. "Dwi'n fodlon mynd ar ysgwyddau y talaf ohonoch chi. Fedri di ddal fy mhwysau i, Einion?"

Safodd ei frawd mor glòs at y drws ag y gallai a gafaelodd yn y ffrâm.

"Wyt ti'n barod?" gofynnodd Orig.

"Dringa'n ofalus, does gen i fawr o afael."

Aeth Orig ar ei gefn fel yr arferai wneud pan oeddynt yn chwarae marchogaeth ar gefn ceffylau erstalwm. Yna, gwasgodd ei ddwy law ar ysgwyddau ei frawd a chododd ei hun yn uwch. Symudodd ei goesau hefyd nes bod ei ddwy ben glin yn pwyso ar ei ysgwyddau. Dyna pryd y dechreuodd Einion siglo ychydig.

"Deud pan fyddi di'n barod i mi ddringo'n uwch," meddai Orig. "Mae'n amhosib i mi weld dros ben y drws o fa'ma."

"Barod!"

Ymestynnodd ei ddwy law uwch ei ben nes llwyddodd i afael ym mhen uchaf y drws. Yna, tynnodd ei hun i fyny a safodd gyda'i draed ar ddwy ysgwydd ei frawd.

Daliai Smwt i gadw sŵn eisiau cael mynd i mewn drwy'r drws, a safai Llinos, Wyn, a Del yn disgwyl cael gwybod gan Orig beth oedd yn poeni cymaint ar y daeargi.

Clywsant Orig yn dechrau cyfri: "Pump... deg...pymtheg...ugain...Mae yna bump ar hugain yma i gyd!"

"Am be wyt ti'n sôn?" gofynnodd Llinos yn ddiamynedd.

"Cathod! Mae 'na bump ar hugain o gathod o bob math mewn cewyll ar bennau ei gilydd ym mhen pella'r stabl yma..."

Dechreuodd Einion simsanu unwaith eto. Ond roedd Orig yn gafael yn ddiogel ym mhen y drws erbyn hyn, ac roedd y cathod wedi mynd â'i fryd i gyd.

"Mae cathod coll Moelfryn a'r ardal i gyd yn y fan yma! Maen nhw fel cwningod, un i bob cawell! Rhai tew a rhai tenau, blewyn hir a blewyn byr; pob lliw – sunsur, du, du a gwyn, a sawl cath frech. Welais i erioed gymaint o gathod efo'i gilydd."

Cyfarthodd Smwt yn sydyn a throdd ei gefn at y drws. Cododd ei wrychyn ac yna cyfarthodd o ddifri calon. Clywsant lais dyn tu ôl iddynt.

"Wyddoch chi fod yr heddlu isio cael gafael ar blant sy'n tresmasu ar dir preifat?"

Trodd y tri i edrych arno, a symudodd Einion mor sydyn nes bod Orig yn hongian gerfydd ei ddwylo o ben y drws. A'r eiliad nesaf, gollyngodd nes llithro i'r ddaear a syrthio ar ei ochr.

Roedd y Llewod wedi dychryn gormod y funud honno i ddweud yr un gair. Rhythodd y pump ar y dyn, ond nid oedd neb ohonynt erioed wedi ei weld o'r blaen.

"Rhaid i mi alw'r plismyn y funud yma, os na fedrwch chi egluro wrtha i be ydach chi'n ei wneud yma!"

Cofiodd Del am y blwch oedd yn ei llaw o hyd. Daliodd ef i fyny a daeth o hyd i'w thafod.

"Casglu at y gronfa," meddai mewn llais bach diniwed.

Llaciodd y gewynnau yn wyneb y dyn rhyw ychydig bach, ond daliai i edrych yn gas iawn arnynt o hyd.

"Ac mi rydach chi'n mynd o gwmpas pob stabl a sgubor i gasglu arian?" gofynnodd.

"Doedd 'na neb yn y tŷ," meddai Wyn. "Ddaeth 'na neb i ateb y drws beth bynnag. Felly dyma ni'n dod i fa'ma rhag ofn..."

Roedd Einion a Llinos yn meddwl yn ddistaw am ffordd i ddianc. Pe baent i gyd yn cychwyn rhedeg yn gyflym roeddent yn siŵr na fyddai'r dyn yma byth yn gallu eu dal. Ond sut allent ddweud wrth y lleill beth oedd eu bwriad? Penderfynodd Einion fod digon o le iddynt ddianc, a cheisiodd dynnu sylw Wyn er mwyn rhoi'r syniad yn ei ben. Ond chwalwyd ei obeithion yn llwyr pan welodd ddyn arall yn cerdded yn araf tuag atynt. Nid oedd ganddynt fymryn o obaith yn awr. Roedd y dynion hefyd fel pe baent wedi amau beth oedd eu bwriad, ac erbyn hyn roedd gwên sbeitlyd ar wynebau'r ddau.

Newidiodd tôn llais y dyn a siaradodd gyda hwy ar y dechrau. Am ryw reswm roedd am ddangos i'r Llewod ei fod yn fwy cyfeillgar.

"Mae'n siŵr eich bod yn casglu at achos da iawn. Dewch at y tŷ ac mi chwiliwn ni am rywbeth i'w roi yn y blwch."

Del symudodd gyntaf gan mai hi oedd yn cario'r bocs crwn ar flaen y llinyn. Arweiniwyd y pump i gefn y plas a sylwodd Wyn fod yr ail ddyn yn cerdded yn araf tu ôl iddynt. Aethant i mewn heb ddweud gair wrth ei gilydd.

"Gwnewch eich hunain yn gartrefol yn y stafell 'ma tra bydda i'n chwilio am arian."

Diflannodd drwy'r drws i stafell arall yn y tŷ. Gosododd yr ail ddyn ei law ar ysgwydd Llinos, oedd wedi cario Smwt yn ei breichiau ar hyd y ffordd rhag iddo chwyrnu a chyfarth.

Aeth ias annifyr i lawr asgwrn ei chefn pan deimlodd yn ei chyffwrdd.

"Dim cŵn yn y tŷ os gwelwch yn dda! Fyddwn ni byth yn caniatáu hynny."

Trodd Llinos yn ei hôl a gosododd Smwt ar lawr tu allan i'r drws. Daliodd ei bys ar flaen ei drwyn, a dywedodd wrtho am fod yn gi da a disgwyl amdani yn y fan honno.

Caeodd y drws tu ôl iddi, a sylwodd y pump fod y ddau ddyn tu allan i'r stafell y funud nesaf.

"Coblyn o bobl ryfedd sy'n byw yn y plas yma," sibrydodd Wyn. "Faswn i ddim yn licio bod yma efo nhw yn hir."

"Ond rydan ni'n lwcus," meddyliodd Orig. "Oni bai am y blwch casglu mi fyddai hi ar ben arnon ni."

Roedd Einion wedi bod yn meddwl yn galed, ac meddai: "Rydan ni wedi gorffen ein gwaith yma p'run bynnag. 'Dan ni'n gwybod ble mae cathod Moelfryn i gyd yn cael eu cadw, felly dyna setlo popeth. Mi gaiff plismyn y dre ddod yma i'w nôl nhw."

Ond ni chytunai Llinos fod yr antur drosodd. "Pam maen nhw'n cadw'r holl gathod yn y stabl? Meddyliwch y gwaith bwydo sydd arnyn nhw! Dim ond hanner y dirgelwch 'dan ni wedi'i ddatrys hyd yn hyn. Rhaid i ni gael gwybod mwy cyn deud gair wrth y plismyn."

Cerddai Orig yn hamddenol o gwmpas y stafell fawr. Aeth at y drws lle roedd y dyn cyntaf wedi mynd drwyddo. Gosododd ei glust yn agos a gwrando.

"Mae'r lle 'ma'n rhyfedd o dawel, ac mae'r dyn yna'n hir iawn yn dod o hyd i'w waled hefyd."

Gafaelodd yn ysgafn yn nwrn y drws a rhoddodd dro sydyn iddo. Gwelwodd ei wyneb pan ddeallodd ei fod wedi ei gloi.

"Awn ni ddim allan ffor' 'ma, beth bynnag," meddai wrth y lleill, a dangosoddd iddynt fod y drws mor gadarn â drws carchar.

Anesmwythodd Llinos. "Mae'n well i ni fynd o'ma nerth traed cyn i'r ddau ddod yn ôl. Dwi'n teimlo'n rhyfedd yma rywsut!"

Aeth at y drws allan, ac roedd siom ar ei hwyneb

pan welodd fod hwnnw wedi ei gloi hefyd. Clywodd lais yn siarad yn gas gyda Smwt tu allan. Dechreuodd y daeargi gyfarth ond nid oedd y dyn yn dangos fod arno ei ofn. Gwichiodd Smwt pan daflwyd rhywbeth ato. Roedd yn rhedeg draw ymhellach oddi wrth y drws yn awr, a gallai'r Llewod ei glywed yn dal i gyfarth o ddifri yn y pellter.

Cododd Llinos ei breichiau a dyrnodd y drws yn galed. Ond doedd neb yn gwrando arni.

" 'Dan ni wedi cael ein carcharu yma!" meddai Wyn. "Tric bach neis oedd ein denu ni i mewn i'r stafell 'ma drwy addo arian i ni. Mi ddylen ni fod wedi meddwl am hynny cyn dod."

Pennod 13: Drws Cudd

EISTEDDODD LLINOS ar un o'r cadeiriau a daliodd ei
dwylo dros ei llygaid. Aeth Del ati i'w chysuro.

"Mae Smwt yn siŵr o edrych ar ôl ei hun. Os ydi'r
dynion yna wedi bod yn gas, mae'n gwybod yn iawn
bod y Llewod yn y stafell 'ma a'n bod ni i gyd yn dal
i feddwl y byd ohono fo."

Pan glywodd Llinos ei chwaer yn siarad yn garedig
felly gyda hi roedd yn teimlo'n waeth o'r hanner am
funud, ac ni allai gadw'r dagrau rhag llifo i'w llygaid.

"Waeth i ni heb â meddwl am weiddi," meddai
Wyn. "Rydan ni'n rhy bell o bobman. A chydig iawn
o bobl sy'n cerdded ar hyd y ffordd gul yng nghysgod
y wal gerrig 'na."

Aeth Orig at y silffoedd llyfrau tal ac edrychodd
ar y rhesi o gyfrolau trwchus gyda chloriau lledr
arnynt. Tynnodd un ohonynt oddi ar y silff a
byseddodd y tudalennau. Doedd y llyfr ddim yn
edrych fel pe bai wedi cael ei ddarllen erioed.

Y grât fawr henffasiwn oedd yn mynd â bryd Wyn.
Roedd yn llawer mwy na'r gratiau roedd o wedi eu
gweld yn nhai Moelfryn, ac roedd patrymau diddorol
wedi eu gweithio i'r haearn. Rhedodd ei fys ar hyd y
ddraig fawr oedd yn y canol yn union uwchben y lle
tân. Rhyfeddai at y gwaith manwl oedd arni. Ond

wrth ei bodio sylwodd fod un darn yn rhydd, ac yn ei chwilfrydedd ceisiodd ei wasgu'n ôl i'w le.

Pan dynnodd ei fys oddi arno yn sydyn clywodd sŵn clician yn ymyl y silffoedd llyfrau. Pwysodd eto ar yr un man a chlywodd glic arall. Sylwodd Einion fod Wyn yn dangos diddordeb arbennig yn y grât ac aeth i sefyll yn ei ymyl.

"Be wyt ti'n ei wneud?" gofynnodd.

"Dos i sefyll at y silffoedd llyfrau acw. Mae 'na rywbeth difyr iawn yn digwydd yn fa'ma. Pan fydda i'n pwyso pen y ddraig haearn, mae 'na sŵn clician yn fan'cw. Dwi'n siŵr fod y ddau wedi eu cysylltu rywsut."

"Gwasga rŵan," meddai Einion. "Dal i bwyso!... Pwysa a gollwng bob yn ail...Mae o'n symud!...Dal i bwyso eto! Oes wir, mae 'na raniad yn y canol; mae'r silffoedd yn rhannu, un rhan yn llithro'n esmwyth a llyfn i'r dde a'r llall i'r chwith!"

Cododd Llinos o'i chadair ac aeth i sefyll at Einion gyda Del ac Orig. Roeddynt i gyd yn teimlo'n gyffrous iawn, a Wyn yn dal i bwyso a phwyso nes bod dau hanner y silffoedd yn symud ychydig mwy bob tro.

"Drws cudd!" llefodd Del.

"Taw! Does arnon ni ddim isio i neb ddod i mewn yma rŵan."

Y munud roedd digon o le, gwthiodd Einion ei hun rhwng y silffoedd. Edrychodd y lleill arno'n troi, ac yna diflannodd o'r golwg. Yna, estynnodd ei law a galwodd ar Llinos i estyn y fflachlamp iddo. Fflachiodd y golau o'i gwmpas a gwelodd ei fod yn sefyll ar ben coridor hir.

"Dewch i mewn i gyd! Mae 'na ddigon o le i bawb

yma. Rhaid i ni gael gweld i ble mae o'n arwain."

"Dydw i ddim yn licio oglau'r lle beth bynnag," sibrydodd Del. "Mae o 'run fath â hen dŷ nain wedi ei gau i fyny ers blynyddoedd."

"Mi wyddost ti pam," meddai Orig. "Am fod neb yn gwybod amdano ers dwsinau ac ugeiniau o flynyddoedd, ella. Roedd y bobl fu'n byw yma amser maith yn ôl yn gwybod am y stafell gudd yma, ond wedyn aeth y gyfrinach ar goll."

Gafaelodd Del yn llaw Llinos. "Wyt ti'n meddwl mai yn fa'ma mae'r ysbryd yn byw?"

Roedd Einion wedi ei chlywed. "Wn i ddim be am ysbryd, ond mi fyddai o wedi bod yn lle campus i Lowri Cadwaladr guddio'r llestri aur rhag i'r garddwr eu dwyn oddi arni."

Daliodd Einion y golau ar y drws eto, a meddyliodd. "Os ydi hi'n bosib i agor y drws cudd o'r stafell arall, mae'n siŵr y gallwn ni ei gau o'r coridor yma hefyd."

Ni chawsant fawr o drafferth dod o hyd i'r botwm roedd yn rhaid ei wasgu. Yn y stafell arall roedd yn rhaid cuddio'r botwm rhag i neb ei weld, ond roedd hi'n wahanol ar ôl dod drwy'r drws cudd i'r coridor. Orig ddaeth o hyd iddo, a llithrodd y silffoedd llyfrau i'w lle yn esmwyth ar unwaith.

"Grêt!" meddai Wyn yn llawn cyffro. "Mae'n saff i ni fynd i weld be sy ym mhen draw'r coridor rŵan."

Roedd yr arogl llwydni a henaint yn pwyso ar stumog y Llewod, ond nid oedd amser i boeni am hynny. Safai Einion yn sydyn weithiau, er mwyn chwifio'i law drwy'r awyr o flaen ei wyneb i ysgubo gwe'r pryfaid cop oedd wedi cael llonydd yno am amser mor hir.

Gafaelodd Llinos yn llawes côt Einion. "Wyt ti'n gallu clywed lleisiau?" sisialodd yn ei glust.

Safodd pawb i wrando.

"O rywle dan ein traed ni maen nhw'n dod," meddai Orig. "Dal y golau i lawr am funud."

Ond doedd dim byd i'w weld. Cafodd Llinos syniad gwell. "Diffodd y fflachlamp, a phawb i sefyll yn berffaith llonydd."

Teimlai'r pump yn unig ofnadwy, gan eu bod yn methu gweld ei gilydd am y tro cyntaf ar ôl dod i mewn i'r plas. Clustfeiniodd pawb, a phrin oedd neb ohonynt yn anadlu. Roedd y lleisiau yn y stafell oddi tan y coridor i'w clywed yn glir er nad oeddynt yn gallu deall y geiriau a'r sgwrs.

"Fan acw!" sibrydodd Llinos.

Tynnodd y pedwar arall eu hanadl yn gyflym a chyneuwyd y fflachlamp unwaith eto. Pwyntiodd Llinos at lecyn ar y llawr rhyw bum cam o ble'r oeddynt yn sefyll.

"Welsoch chi mo'r llinellau gwan o olau ar y llawr yn fa'ma?" gofynnodd iddynt.

Ysgwyd eu pennau wnaeth pawb. Cerddodd Llinos draw at y fan lle bu'n pwyntio, a dilynwyd hi gan y lleill.

"Diffodd y golau unwaith eto," meddai wrth Einion.

"Dwi'n gallu eu gweld nhw rŵan," ebe Orig. "Tair llinell syth o olau main. Pe bai 'na un llinell arall byddai'n gwneud sgwâr perffaith."

Penliniodd Wyn tra daliai Einion y fflachlamp. Rhedodd ei fys ar hyd y llinellau yn y coed wrth eu traed.

"Drws llawr!" meddai. "Ond mae o wedi ei ffitio'n dynn ofnadwy. Os gallwn ni ei symud o mi fedrwn ni weld i mewn i'r stafell sy odanon ni."

Daliodd Wyn i wthio'i ewinedd i mewn i'r rhigolau, ac roedd y stumiau ar ei wyneb yn dangos ei fod yn defnyddio'i holl nerth ac yn dolurio blaenau ei fysedd yr un pryd.

Deffrôdd Del. "Mae o'n symud mymryn bach!"

"Breuddwydio wyt ti," atebodd Llinos. "Rwyt ti gymaint isio ei weld o'n symud nes bod dy lygaid di'n chwarae triciau efo ti…"

"Na, mae Del yn iawn!" ebe Orig. "Mi welais inna symudiad bychan."

Daliodd Wyn i ymdrechu.

"Wyt ti isio i mi ddiffodd y lamp?" gofynnodd Einion.

Nodiodd Wyn ei ben, a chododd y drws yn araf a gofalus.

"Dyna welliant! Dwi wedi gafael yn y lle iawn o'r diwedd. Ond cyn i mi ei symud dim rhagor, peidiwch â deud gair, dim sibrwd hyd yn oed."

Daeth clwt sgwâr o olau i mewn i'r coridor o'r stafell oddi tanynt, a gallent glywed y lleisiau'n gliriach a deall pob gair yn awr.

"Dwi'n gyndyn o fynd o'ma. Ond er mwyn diogelwch, does gynnon ni ddim dewis. Dwi wedi ffonio. Mi fydd y fan yn cyrraedd yn syth ar ôl iddi nosi."

"Be wnawn ni efo'r plant?" gofynnodd llais arall.

"Plant! Plant! Mae plant wedi achosi mwy o drafferth na neb ar ôl i ni ddod yma. Oni bai amdanyn nhw mi fydden ni wedi gallu aros yma am hir iawn...Be i'w wneud efo nhw ddeudist ti, ynte?...Gobeithio eu bod nhw'n ddigon diogel yn y stafell 'na beth bynnag!"

"Ydyn, Doctor Larsen. Mae'r drysau wedi eu cloi. Dyma'r goriadau."

"Wel rhaid i ni fynd o'ma gynta, a phan fyddwn ni'n ddigon pell, tua ugain milltir i ffwrdd, mi gei di ffonio'r heddlu, heb roi dy enw iddyn nhw wrth gwrs, a deud bod pump o blant wedi cau eu hunain i mewn ym Mhlas Madyn! Ho! Ho! Ho! Mi fydd hynny'n ddigon i gadw'r plismyn yn brysur am dipyn bach."

Gwnaeth Wyn arwydd i'r lleill ei fod eisiau codi ar ei draed.

"Rydan ni reit uwchben nyth y dihirod!" meddai o dan ei wynt wrthynt. "Ond alla i ddim gweld dim byd. Mae'r drws llawr 'ma yng nghornel y stafell, diolch am hynny. Ond mae'n rhaid i ni gael gweld eu hwynebau nhw cyn iddyn nhw adael y plas er mwyn gallu rhoi disgrifiad a'u hadnabod eto pan fydd raid."

"Dwi'n fodlon gwthio fy mhen i lawr trwy'r agoriad," cynigiodd Orig, "ond bydd raid i rai ohonoch chi ddal fy nghoesau rhag ofn i mi syrthio ar fy mhen."

Caeodd Llinos ei llygaid wrth ddychmygu Orig yn diflannu i lawr trwy'r twll i ganol y dihirod.

"Bydd yn goblyn o ofalus," rhybuddiodd Wyn. "Os gwnei di unrhyw smic o sŵn mi fyddan nhw'n siŵr o dy glywed di."

Gorweddodd Orig ar ei hyd, ac yna llusgodd ei hun yn nes at yr agoriad yn y llawr tra daliai Einion a Wyn eu dwylo'n dynn am ei goesau. Trodd Orig ei ben. Deallodd y bechgyn eu bod yn ei rwystro rhag mynd yn ddigon pell i weld. Roedd calonnau pob un ohonynt yn eu gyddfau.

Arhosodd Orig yn llonydd am ychydig funudau oedd yn ymddangos fel oriau i'r pedwar arall. Roedd y lleisiau i'w clywed yn glir unwaith eto.

"Gest ti wared o'r ci swnllyd yna?"

"Mae wedi mynd yn ei ôl am y pentre. Wneith o ddim ein poeni ni eto."

"Mae o'n lwcus! Ro'n i bron iawn â gyrru Meurig Puw yma allan efo'r gwn i roi ergyd ynddo fo. Fyddai neb yn amau dim byd gan fod hawl saethu ganddo fo ar y tir yma ers cymaint o amser."

Dechreuodd corff Orig symud eto a deallodd Einion a Wyn ei fod eisiau dod yn ôl atynt. Symudodd yn araf, dim ond y mymryn lleiaf ar y tro, ac roedd golwg ddifrifol iawn ar ei wyneb pan safodd ar ei draed.

"Be welaist ti?" gofynnodd Del.

"Bob dim! Ond mae'n rhaid i ni symud o fa'ma gan fod peryg iddyn nhw ein clywed ni'n siarad."

Gadawyd y drws llawr yn hanner agored ac aeth y Llewod yn ôl ar hyd y coridor. Roedd pawb yn ysu eisiau holi Orig.

"Gwyddonydd o ryw fath ydi Doctor Larsen. Mae o'n gwisgo côt wen ac roedd 'na bob math o diwbiau a photeli a chwistrelli a chemegion ar y bwrdd. Hefyd roedd 'na ddau gawell a dwy gath ynddyn nhw; yr un math o gewyll â'r rhai welais i yn y stabl."

"Pwy arall welaist ti?" gofynnodd Llinos oedd yn amau ei bod hi wedi adnabod un o'r lleisiau.

"Wn i ddim be mae Meurig Puw, y Wenallt yn

wneud yma. Dwi'n methu credu ei fod o yn un o'r dihirod. . ."

Ni chafodd Orig orffen ei stori. Roedd y siarad yn y stafell o dan y drws llawr yn uwch erbyn hyn. Aeth y pump yn eu holau ar flaenau eu traed. Roedd un o'r dynion wedi bod allan ac wedi clywed car yn dod i fyny'r lôn yn gyflym i gyfeiriad y plas.

Pennod 14: Rhannu Cyfrinach

"ALLA I DDIM dioddef pobl yn ymyrryd!" meddai Doctor Larsen wrth Meurig Puw a'r ddau ddyn arall. "Dos allan at y car a deud wrth pwy bynnag sydd yno mai garddwr wyt ti, a dy fod ti'n tacluso'r gerddi cyn y gaea. Wedyn mi gawn ni wared â nhw."

Clywodd y Llewod y dyn yn gadael y stafell, ond ymhen dau funud agorwyd y drws yn sydyn unwaith eto a chlywsant sŵn nifer o draed yn rhuthro i mewn.

"Peidiwch â chyffwrdd dim byd ar y byrddau! Safwch yn erbyn y wal efo'ch dwylo ar eich pennau! Pob copa walltog ohonoch chi."

Mynnodd Orig fynd i edrych trwy'r agoriad yn y llawr unwaith eto er mwyn gweld beth oedd wedi digwydd. Gan fod cymaint o sŵn yn y stafell oddi tanynt yn awr nid oedd angen iddynt fod mor dawel y tro hwn.

"Tri phlismon!" meddai gan droi ei ben i wynebu'r pedwar oedd yn glustiau i gyd wrth ei ymyl.

"Ydi Cochyn yna hefyd?" sibrydodd Wyn.

"Dwi'n meddwl mai o swyddfa heddlu Llanelan mae'r rhain yn dod. Dwi wedi gweld dau ohonyn nhw o'r blaen yn y pentre."

Aeth y swyddog gyda'r sêr arian ar ysgwydd ei gôt at y gwyddonydd, a gofynnodd iddo a'i Doctor Larsen oedd ei enw.

"Does gen i ddim byd i'w ddeud," atebodd dyn y gôt wen.

"Ond mae gan yr heddlu lawer iawn i'w ddeud wrthoch chi, Doctor! Mi fyddwch chi a'ch ffrindiau yn dod efo ni i'r dre mewn ychydig funudau. Ond yn y cyfamser dwi'n eich rhybuddio chi rŵan y gall unrhyw beth fyddwch chi'n ddeud o hyn ymlaen gael ei ddefnyddio fel tystiolaeth yn eich erbyn."

Roedd golwg wedi dychryn ar wyneb Meurig Puw. "Dim ond ffermwr yn yr ardal yma ydw i, syr. Wn i ddim byd am y dynion dieithr yma. Dim ond trefnu iddyn nhw rentu'r plas am chydig fisoedd wnes i."

Roedd ateb y swyddog yn un swta. "Mae hynny'n fwy na digon o reswm dros fynd â chitha i'r dre hefyd. Ac rydan ni'n gwybod tipyn mwy na be ddeudoch chi rŵan, Mr.Puw. Felly mae'n well i chi ddechra trefnu'r stori'n glir yn eich meddwl."

Trodd Orig at y pedwar arall oedd yn gwrando a dywedodd fod Guto Hopcyn newydd ddod i mewn trwy'r drws, a'i fod ar dân eisiau dweud rhywbeth wrth yr arolygydd.

"Does yna ddim golwg ohonyn nhw yn nunlle. Dwi wedi bod yn y gerddi ac o gwmpas yr adeilad i gyd."

"Am bwy ydach chi'n sôn, Mr.Hopcyn?"

"Y Llewod, siŵr iawn! Hen griw o blantos iawn. Cystal â dim sydd i'w cael yn nunlle y dyddiau yma. Oni bai amdanyn nhw fyddach chi na finna ddim yma rŵan...Bobol annwyl, be wyt ti'n ei wneud yn fa'ma, Meurig Puw?"

Trodd swyddog yr heddlu at yr hen ŵr. "Rhaid i mi ofyn i chi beidio â siarad efo 'run o'r dynion yma ar hyn o bryd."

"Mi wela i! Ond mae rhywun yma yn siŵr o fod yn gwybod ble mae'r hen blant."

Holodd plismon y dynion bob yn un, a thynnodd un ohonynt allwedd o'i boced. Yna dywedodd y swyddog wrtho am ddatgloi'r stafell a mynd â Guto Hopcyn gydag ef er mwyn gweld fod popeth yn iawn.

Pan glywodd y Llewod hynny gwnaethant le i Orig godi ar ei draed ar unwaith.

"Rhaid i ni frysio'n ôl drwy'r drws cudd cyn iddyn nhw gyrraedd y stafell," meddai, "neu mi fydd yr heddlu'n gwybod ein cyfrinach ni!"

Brysiodd y pump ar hyd y coridor hir at y drws. Pwyswyd ar y botwm a llithrodd y drws yn agored wrth i'r silffoedd llyfrau rannu yn y canol. Gwasgodd y Llewod drwy'r agoriad ac aeth Wyn ar ei union at y grât a phwyso pen y ddraig haearn. Clywsant sŵn traed tu allan i ddrws y stafell, ac allwedd yn crafu yn y clo. Roedd calonnau'r Llewod yn ei gyddfau wrth weld dau hanner y cwpwrdd yn symud mor araf ar ei gilydd.

"At y drws i sefyll!" sibrydodd Einion, "er mwyn i ni eu rhwystro nhw i ddod i mewn am funud. A phawb i weiddi 'hwrê' a chadw cymaint o sŵn ac sy'n bosib."

Roedd Guto Hopcyn a'r plismon wedi eu syfrdanu gan y croeso mawr a gawsant, a chyn i'r miri dawelu aeth yr heddwas yn ei ôl i lawr i'r seler at y lleill. Yna, dechreuwyd sgwrsio a holi Guto Hopcyn o ddifri.

"Pwy ddeudodd wrth y plismyn?" gofynnodd Llinos.

"Yr hen gyfaill bach du a gwyn, debyg iawn."

"Smwt!" meddai Orig gan neidio mewn llawenydd.

"Dwi'n meddwl y basa'n well i chi ddeud yr hanes i gyd," meddai Einion.

"Fel hyn y digwyddodd hi. Ro'n i wrthi'n gorffen gweithio am y diwrnod yn yr ardd, a dyma Smwt i fyny'r llwybr ar garlam a dechra cyfarth fel peth gwirion. Ro'n i'n disgwyl eich bod chitha'n dod ar hyd y ffordd, ond yn fuan iawn mi sylweddolais i fod y daeargi wedi dod acw ar ei ben ei hun. Ac roedd o'n gwneud ei orau glas i ddeud rhywbeth wrtha i. Wyddoch chi be, mi fydd Smwt yn gallu siarad cystal â chi a fi mewn blwyddyn neu ddwy! Mi wnes i ddeall eich bod chi mewn helynt ofnadwy tua'r plas yma. A dyma fi'n meddwl mai'r peth gorau i'w wneud fyddai cael help Cochyn. . ."

"Wnaeth Cochyn ddim byd erioed i helpu'r Llewod," meddai Wyn.

"Wnaeth o fawr o ddim byd y tro yma chwaith! Ond pan soniais i wrtho fo fod yna betha rhyfedd yn digwydd ym Mhlas Madyn mi sobrodd y dyn drwyddo. 'Rhaid i mi ffonio'r swyddfa yn y dre ar unwaith,' medda fo. Roedd Cochyn wedi cael ei siarsio i wneud hynny gan y swyddog sydd uwch ei ben. Cyn pen deng munud roedd yna gar plismyn o flaen Llety'r Wennol yn aros amdana i – dim ond cyrraedd adre wnes i, a throi Smwt i mewn i'r gegin rhag iddo fo ddechra crwydro wedyn..."

Torrodd sŵn car arall ar draws stori Guto Hopcyn a gwelsant fod fan fawr, ddu wedi cyrraedd i fynd â'r dihirod i orsaf yr heddlu yn Llanelan.

"Gawsoch chi wybod rhywbeth gynnyn nhw ar y ffordd yma?" gofynnodd Llinos.

"Roedd yn rhaid iddyn nhw ddeud tipyn er mwyn fy nghael i i siarad. Doctor Larsen ydi enw'r dyn roeddan nhw isio ei ddal. Gwyddonydd disglair iawn ydi Larsen, ac mae o wedi bod yn gwneud gwaith ymchwil i ddarganfod meddygyniaeth newydd i rai sy'n dioddef oddi wrth glefyd y galon. Gweithio i gwmni oedd Larsen, a gan ei fod o'n ddyn styfnig iawn, roedd o'n mynnu ei ffordd ei hun bob amser, ac yn gwneud arbrofion eraill yn y labordy."

"Sut fath o arbrofion, Guto Hopcyn?" gofynnodd Einion. "Hwyrach y byddai Doctor Larsen wedi dod o hyd i wybodaeth bwysicach fyth, a miloedd o bobl yn gwella'n llwyr o glefyd y galon."

"Fel arall yn hollol! Ar drywydd rhyw ddarganfyddiadau allai gael eu defnyddio i ladd mewn rhyfel oedd Larsen, ac nid i wella mewn ysbyty. Dyna oedd y perygl mawr, ond mi gollodd ei waith efo'r cwmni. Ond nid un i roi'r gorau iddi ar chwarae bach ydi'r dihiryn yma. Roedd o wedi cael cymaint o flas ar ei waith ymchwil peryglus, nes iddo gynllunio i fynd ymlaen efo'r arbrofion."

"Dyna pam roedd angen y cathod arno fo," dyfalodd Einion, "er mwyn gwneud arbrofion arnyn nhw!"

"Yn hollol felly! Ond roedd yr heddlu'n cadw golwg arno fo ers misoedd, ac yna un diwrnod mi ddiflannodd o yn ddirybudd. Wyddai neb ddim o'i hanes am chwe mis, nes y gwelwyd dyn oedd yn ateb disgrifiad Larsen yn yr ardal yma tua phythefnos yn ôl. Mi glywodd yr heddlu fod y cathod yn diflannu, ac yna roeddan nhw'n gwybod eu bod nhw'n boeth ar ei drywydd o unwaith eto. Pan dorrwyd i mewn i dŷ'r doctor roeddan nhw'n amau mai Larsen oedd tu ôl i hynny hefyd, gan eu bod yn gwybod nad oedd gynno fo lawer o arian wrth gefn i brynu offer ac ati ar gyfer ei waith."

"Ond pam mae Meurig Puw yn ei helpu o?" holodd Del.

"Dwi'n dal i fod yn methu deall yn iawn, ond mi ŵyr pawb ohonon ni fod yna gysylltiad wedi bod rhwng teulu'r Wenallt a Phlas Madyn ers llawer o flynyddoedd. Mi gawsoch chitha wybod hynny yn y noson lawen Calan Gaeaf. Pan fyddai'r plas yn wag, yn y Wenallt fyddai'r allweddi yn cael eu cadw bob amser. Rhai rhy hoff o arian fu'r teulu erioed, ac mi ddeallodd Larsen hynny'n reit sydyn mae'n siŵr gen i. Roedd y Doctor yn barod i addo arian da i ddyn fel Meurig Puw am ei fod yn dod o'r ardal yma. Ond wrth gwrs, doedd gan Larsen ddim arian i dalu, ond wyddai gŵr y Wenallt ddim byd am hynny. Felly efo help Meurig Puw y daeth Larsen a'i griw i Blas Madyn i wneud ei arbrofion."

Gwawriodd rhagor o atebion ym meddwl Orig. "Ac un ffordd o gadw pobl draw o'r plas oedd eu dychryn nhw efo'r hen stori ysbryd. Mae gan y rhan fwya o bobl Moelfryn ofn dod yn agos yma. Roedd Calan Gaeaf yn noson dda i adrodd stori ysbryd Plas Madyn."

Roedd darnau'r dirgelwch i gyd yn disgyn i'w lle yn gyflym. Gwyddent yn awr mai Meurig Puw osododd y wifren ar draws lôn y plas, er mwyn baglu'r merlod a drysu cynlluniau'r ddau lanc oedd am ladd stori ysbryd y llestri aur.

Sylwodd Guto Hopcyn ar wyneb Del a deallodd ei

bod mewn penbleth ofnadwy ers pum munud a mwy.

"Be sy'n dy boeni di, 'nghariad i?" gofynnodd iddi.

Petrusodd Del am ennyd. "Ydach chi'n meddwl, Guto Hopcyn, nad oes 'na ddim ysbryd o gwbl ym Mhlas Madyn rŵan?"

"Mae'r Llewod wedi dal ysbryd pwysicaf y gaea yma beth bynnag, ac ysbryd peryglus iawn oedd hwn hefyd."

"Ond meddwl am Lowri Cadwaladr a'r llestri aur mae Del," eglurodd Llinos. "Ydi hi'n dal i farchogaeth ar gefn Gwyll bob Calan Gaeaf?"

"Mae'n well gen i weld pobl yn peidio ymyrryd efo dirgelion fel yna. A does gan yr heddlu fawr o ddiddordeb mewn hen straeon cefn gwlad, er na fasan nhw byth wedi dod o hyd i Larsen mor sydyn oni bai fod stori ysbryd Lowri Cadwaladr wedi deffro diddordeb y Llewod."

"Fedrwch chi gadw cyfrinach bwysig ofnadwy, Guto Hopcyn?" gofynnodd Del.

"Dyma'r ail dro i'r Llewod ofyn y cwestiwn yna o fewn wythnos i mi. Dwi'n dal i fod mor ddiogel â'r banc!"

Dywedodd y pump wrtho am y stafell gudd tu ôl i'r silffoedd llyfrau, ac roedd yr hen ŵr wedi rhyfeddu.

"Hwyrach ein bod ni ar drywydd y llestri aur wedi'r cwbl! Ond peidiwch â sôn gair am hyn wrth yr un dyn byw. Pan fydd helynt y Doctor Larsen yma wedi tawelu tipyn, mi ddown ni draw yma i gael golwg fwy manwl ar y lle. Ond dim ond yng ngolau dydd, cofiwch! Dydw i ddim am ddod yn agos i Blas Madyn ar ôl iddi nosi."